D1622451

HERRAMIENTAS PARA VOLAR

Lily García

Herramientas para Volar

Lily García

Ediciones ZEBRA

García, Lily
    Herramientas para volar

Editor: Ediciones Zebra, Puerto Rico
1ra. Edición, 2010

www.lilygarcia.net

Diseño del libro: Kreative Marketing and
                      Consulting Services, Inc.

Caricatura: Tom Beland

Fotos: José Bobyn

Diseño cabello de Lily García: Carmen Ayala, Azzuro
Salón, Los Paseos

ISBN   978-0-9801640-1-5

Impreso por: Advanced Graphic Printing, Guaynabo,
Puerto Rico

Dedico toda la energía maravillosa que pueda moverse a través de la lectura de este libro a la memoria de dos amigos: Oscar Torres Caquías y Francisco Rosa.

Al abrirme las puertas de su amistad y permitirme conocer sus espíritus de lucha y compromiso, me hicieron un mejor ser humano. Gracias por sus vidas y nos vemos en la próxima…

Contenido

Introducción

La posibilidad de volar...De sentir que no hay límites al espacio y al tiempo...que podemos llegar a todas partes y a todas personas...que el silencio es absoluto y que no se escucha más que el latir de nuestro corazón y el susurro del viento rozando nuestra piel.

Estoy segura que no he sido la única que de niña soñó con volar. Mi esposo, Tom, me cuenta que de pequeño él y su hermano en una ocasión por poco se lanzan del techo de la casa para imitar a "Superman." Yo nunca llegué a esos extremos, pero sí, en muchas ocasiones, cerré los ojos y soñé despierta con las maravillas que podría ver, sentir y abrazar si hubiese podido abrir mis alas y dejarme llevar.

No es hasta muchos años más tarde que me doy cuenta que a través de aquellos viajes de mi imaginación estaba, de alguna forma, meditando. Le estaba permitiendo a mi mente salir de sus cuatro paredes, de lo que la agobiaba (porque los niños sí tienen preocupaciones), de lo cotidiano y de lo inmediato, para dejarla expandirse y hacerse parte del espacio. Y al hacerlo me sentía alegre, completa, y en paz.

Hoy reconozco que aunque sí sería maravilloso tener alas físicas, a lo que en realidad tenemos que darle alas es a nuestra mente. Es allí donde se anidan nuestras mayores limitaciones. Dice la primera de las Siete Leyes

Universales que "Todo es mente." Por lo tanto, aquella persona que logre conocer, entender y liberar su mente, aprenderá a volar. Y una vez que pueda percibir el "cielo" a través de esa mente liberada, ese "cielo" comenzará a hacerse realidad en su vida.

Mientras más livianas nuestras mentes, mientras menos cargadas de emociones, actitudes y visiones tóxicas, más rápido y más alto podrán volar. A través de las columnas que he recogido para ustedes en este libro, comparto las herramientas que me han regalado personas, vivencias, y reflexiones, y que de alguna forma me han ayudado a soltar mis pensamientos pesados y a abrir mis alas. Comparto a través de estos escritos aquello que me ha puesto a pensar, que me ha inspirado, o que me ha conectado con otros a través de la compasión.

El Universo nos presenta constantemente oportunidades para crecer y nos ofrece respuestas a nuestras preguntas. Lo único que tenemos que hacer es mirar, observar y escuchar. A los que ya han leído alguno de mis libros, mis columnas en diferentes publicaciones, o han escuchado mis CDs, les agradezco la oportunidad de permitirme seguir siendo parte de sus vidas.

A aquellos que me están leyendo por primera vez, les agradezco la confianza de haberme abierto la puerta. Recuerden que las alas no se abren en un día. Cuidado con aquellos que busquen venderles liberación al estilo "servi carro." De la misma forma que un niño no puede correr sin primero descubrir que puede caminar, antes de pretender "volar" tenemos que reconocer lo que es nuestra mente y cómo trabaja. Esto conlleva un profundo proceso de auto-descubrimiento. Y una vez descubiertos nuestros súper poderes, hará falta comenzar a soltar todo aquello que nos ha hecho pesados. En otras palabras, que nuestras mentes permanecerán guardaditas y escondidas, controlando nuestras vidas, hasta el día que descubramos que sí tenemos el poder para liberarlas.

Como bien dice sabiamente uno de mis grandes maestros, Thich Nhat Hanh: "Cuando aprendas a volar no necesitarás un mapa." Por eso te invito a que comiences tu proceso de aprendizaje viviendo un día a la vez y disfrutando cada uno de tus logros, por más pequeños que te parezcan.

Te recomiendo que te animes a escribir lo que vas descubriendo. Es maravilloso lo que uno aprende de uno mismo a través del papel (o el monitor de la computadora). Ríe, sufre, llora, celebra, canta, déjate caer y levántate. Pero por nada del mundo dejes de vivir. Es viviendo conscientes de hacia dónde queremos ir que comenzamos a abrir esas alas. Espero que disfrutes estas nuevas herramientas de vida y te felicito por darte la oportunidad de crecer a través de mis ojos.

En humildad y amor,

Lily

CAPÍTULO I

De los buenos

quedamos muchos

> "Las buenas acciones nos fortalecen
> e inspiran buenas acciones en los demás."

Platón

Lecciones de un cheque

Aquel día estaba feliz porque por fin me había llegado por correo el pago por una conferencia que había ofrecido hacía meses a una agencia de gobierno. Por poco lloro de la emoción. Después de tantas semanas de gestiones de cobros, correos electrónicos, llamadas, etc., el dinero había llegado justo en el momento en que más lo necesitaba.

Al día siguiente me levanté temprano para depositar el cheque y, en lo que la sucursal abría, me fui a desayunar al "food court" de un centro comercial. Unos quince minutos más tarde, cuando llegué al banco a hacer el depósito, el cheque había desaparecido de mi cartera. Regresé al lugar donde había estado desayunando y encontré allí sentada a una señora. Le pregunté si había visto un cheque por ahí, pero nada.

Busqué en la basura, tanto del "food court" como del baño donde había hecho una parada. Llamé a seguridad, y hasta pregunté en el banco. Después de todo, el cheque estaba a mi nombre, y aunque no todo el mundo en Puerto Rico tiene necesariamente que saber quién es Lily García, la gran mayoría ha escuchado mi nombre alguna vez. Ni rastro del cheque. Llamé a mi esposo casi llorando. Él intentó tranquilizarme diciéndome que no me preocupara, que el cheque iba a aparecer. Pero lo cierto es que hoy en día cualquiera por ahí cambia un cheque con una identificación falsa. Y aún si lograba llamar a tiempo a la agencia para que lo cancelaran, posiblemente tomarían seis meses más en enviármelo de nuevo.

Decidí esperar hasta el día siguiente para solicitar la cancelación del cheque, por si ocurría un milagro. Y ya pasadas las seis de la tarde, llegó el correo electrónico. Era de una oficinista de una compañía en el área de Guaynabo. Uno de sus compañeros de trabajo, chofer de uno de los camiones de la compañía, había estado esa mañana en el centro comercial y había encontrado mi cheque en el suelo. Al reconocer mi nombre, el muchacho había llamado a varias estaciones de radio intentando conseguir un número de contacto. Ella, quien lee frecuentemente mis columnas, le dijo que intentaría conseguirme por Internet.

En menos de quince minutos había llegado al estacionamiento de la compañía para encontrarme con el muchacho y su compañera de trabajo. El me entregó el cheque y yo, muy gradecida, les regalé y dediqué a ambos mis dos libros más reciente. En los menos de diez minutos que estuvimos en ese estacionamiento me enteré de que este jovencito viajaba desde el centro de la isla todos los días a trabajar en el área metropolitana. Su esposa, de solo veinte años, estaría dando a luz su primer bebé en pocos meses. Y el mismo día que diera a luz por cesárea, le estarían realizando una histerectomía radical para sacar el tumor canceroso que tenía en la matriz creciendo junto a su bebé.

Y de esto último me enteré no porque me lo dijera él, sino por un comentario de su compañera de trabajo. Me despedí de ambos pidiéndoles que me mantuvieran al tanto de la salud de la madre y el bebé, y cuando llegué a mi vehículo, me eché a llorar. La historia de este muchacho me conmovió profundamente. Tanto que hablamos de cómo los valores en este país se han perdido y acababa de conocer a alguien que tenía todas las excusas del mundo para haber cambiado ese cheque. No solamente no lo cambió, sino que intentó conseguirme para devolvérmelo, y en el proceso, ni siquiera se quejó de su situación. Las últimas palabras que me dijo con una sonrisa en los labios fueron "Gracias por el CD, porque ahora lo puedo escuchar cuando vaya de regreso pa' Barranquitas." Él no sabe la gran lección de honestidad, humildad y entereza que me dio. Los más grandes maestros generalmente llegan disfrazados de gente común y corriente. Que Dios lo bendiga siempre.

Posdata: Una semana más tarde regresé a la compañía para entregarle al muchacho un regalo para su bebé. Supe posteriormente que el bebé nació sano y ella estaría comenzando su proceso de quimioterapia después del parto. La última noticia que tuve fue que él decidió cambiar de trabajo para evitar el tener que viajar tan lejos de su pueblo y así poder estar más cerca de su esposa y su bebé.

Arrecifes de esperanza

*U*no de mis lugares favoritos en el área metropolitana de San Juan es el área de la Laguna del Condado. De niña mi padre nos llevaba de vez en cuando a pasear en el pequeño bote de madera de algún amigo pescador. Siempre recuerdo las advertencias de mi madre. "Esa agua está sucia y contaminada, así que tengan mucho cuidado." Crecí con la idea un poco exagerada de que si metía la mano en el agua de la laguna se me iba a caer un dedo o algo así. Ahora entiendo que el temor era bastante exagerado. Lo que no era exagerado era el hecho de que esta laguna se estaba muriendo por dentro.

Por eso sentí tanta alegría al leer en el periódico la noticia de que la vida marina ha regresado a la Laguna del Condado. Durante años la sedimentación había estado matando los arrecifes en el fondo de la laguna, y sin ellos, habían desaparecido los peces y había aumentado la contaminación de las aguas. Pero con la creación y colocación de estructuras que simulan ser arrecifes y otros elementos del fondo marino, en menos de seis meses, ya se comenzaron a ver los resultados. Gracias a la pasión, la creatividad y el deseo del Consorcio del Estuario de la Bahía de San Juan, la laguna está produciendo hoy su propio oxígeno.

Son muchos los que hoy sienten que, al igual que ha ocurrido en ese cuerpo de agua, la vida se les va por momentos, o el oxígeno no les llega. Por eso veo en la nueva vida de la Laguna del Condado una señal de esperanza. Sí, es cierto, metimos la pata al no cuidar lo que debimos y propiciar el desbalance que nos trajo a esta situación. Pero como todo en la vida, en vez de lamentarnos, no sería mejor preguntarnos: ¿Y hacia donde nos movemos ahora? Te invito a que tomes responsabilidad por la vida que tienes hoy, y una vez lo hagas, procedas a moverte con pasión y creatividad hacia la nueva vida que quieres diseñar. Agárrate de las buenas noticias, de aquellas que te recuerdan que sí se puede. Y recuerda que siempre hay una alternativa…siempre.

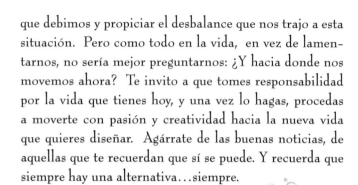

Lecciones de una caída

Aquel día había caminado hasta un colmadito cerca de mi casa a comprar dos o tres cosas que me hacían falta. Era ya de noche, y al salir del negocio, no me percaté del pequeño cráter que había en el área del estacionamiento. Di un mal paso y caí reventada al suelo. El dolor lo sentí en el tobillo, y lo primero que me vino a la mente fue "aquí algo se partió." Mientras trataba de pararme sin apoyar el tobillo, por si acaso, una señora que salía del colmado me vio en el suelo. Soltó su compra y me ayudó a levantarme. "¿Dónde te duele?" me preguntó. "En el tobillo," le contesté.

Sin pensarlo dos veces, la señora se sentó en el suelo, me cubrió el tobillo con ambas manos, y comenzó a orar. "Por el poder de Jesucristo estás sana en este momento," decía. "Aquí nada ha ocurrido, hace dos segundos ya esta muchacha está sana por el poder de Cristo." Yo estaba como en shock. Yo no conocía a esa señora, nunca la había visto antes. Y de repente, sentí muchas ganas de llorar, en parte por el dolor que sentía, pero también porque me sentí profundamente conmovida por el gesto de aquella mujer.

Al terminar de orar, la señora se aseguró de que yo pudiera caminar bien y se despidió con un "Dios te bendiga, y ponte hielo tan pronto llegues a tu casa." No estaba segura de poder llegar hasta casa a pie, pero decidí intentarlo. Después de todo, si la cosa se ponía difícil, podía llamar a mi esposo desde el celular para que me viniera a buscar. Mi preocupación mayor era que me había comprometido a caminar el día siguiente las tres millas de la Carrera para una Cura de la Fundación Susan G. Komen de cáncer del seno, y no quería que este traspié me detuviera. Inicié mi regreso a casa evitando ponerle mucho peso a ese pie, y poco a poco fui cogiendo confianza. Me di cuenta de que el tobillo ya casi no me dolía, más me molestaba el tremendo raspazo que me había dado en el codo cuando me caí.

Poco a poco llegué a casa y, todavía llorosa, le conté a Tom lo que me había pasado. Me puso hielo, aunque el tobillo ni siquiera se hinchó. Al otro día amanecí perfectamente bien. Fui a la carrera, hice mi trabajo como maestra de ceremonias y caminé las tres millas sin molestia alguna. El recuerdo de aquella señora me acompañó a cada paso, y le envié muchas bendiciones. Su cariño, su gesto de amor desinteresado y, sobre todo, su fe, me habían ayudado a sanar en ese momento. Y de repente, mientras caminaba, miré a mi alrededor y me fijé en las tantas sobrevivientes de cáncer que corrían y caminaban junto a los seres queridos que las apoyaron en su proceso de sanación. Y me regocijé en saber que todavía, a pesar de todo lo que nos quejamos de lo "malas" que están las cosas, vivimos en un país donde nos importan los demás.

Y pensé en todas las personas, que son muchas, que de alguna forma me han ayudado cuando me he "caído" física y emocionalmente de tantas formas. A todas ellas les doy las gracias, y les prometo que haré lo posible por seguir compartiendo lo que me dieron. Porque solo sirviendo a otros podemos rendir homenaje a aquellos que en un momento nos han servido a nosotros.

Encuentros que dejan huella

"Estos muchachos son tremendos, y que decirme que me veo bien." El comentario venía de un señor bastante mayor que se había sentado a mi lado en La Bombonera aquella mañana mientras me tomaba un café. Era un hombre delgado de cabello blanco. Se veía bien vestido y cuidado, dando la impresión de que cuando joven posiblemente era de los que siempre andaba de punta en blanco. Al hablar de "los muchachos" se estaba refiriendo a dos de los empleados de la cafetería, quienes aparentemente le habían comentado lo bien que se veía.

"Pero es que ellos tienen razón," le respondí yo. "Usted se ve muy bien." "¿Y quién se puede ver bien a los noventa y cuatro años?" dijo el señor con una sonrisa de labio a labio. ¡Noventa y cuatro años! Jamás en la vida me hubiese imaginado que era tan mayor. Definitivamente no lo parecía. La energía, la fortaleza, el sentido del humor y la vitalidad que proyectaba eran las de un hombre mucho más joven. Me moría de curiosidad por saber más sobre él, así que tuve que empezar a preguntar.

Me dijo que se crió entre Santurce y Miramar pero que ahora vivía en Río Piedras. Me contó cómo, de adolescente, el papá le daba veinte centavos todos los sábados y eso le daba para venir a la Bombonera en autobús desde Santurce, tomarse un refresco, y después irse a ver una película al cine que había entonces en Viejo San Juan. "¿Y cómo viene ahora hasta acá?" le pregunté. "Vengo en mi carro, guiando," me contestó, de lo más casual. ¡Y encima todavía guía!

Sé que me habló de hijos, nietos y biznietos, pero no recuerdo cuantos en realidad. En un momento dado le pregunté, "¿Y a qué se dedicó usted cuando trabajaba?" "Trabajaba no, trabajo…" me contestó, y se sacó del bolsillo un bolígrafo, de esos de promoción, con el nombre de una compañía. "Digo, ya a los viejos no nos dan las ordenes grandes, pero todavía tengo mis pequeños clientes para estos productos de promoción." Y continuó con "Mi mujer quiere que me retire ya, pero yo le digo que me retiro el día que me muera."

Su "mujer", según me contó, tiene noventa años, y llevan setenta juntos. ¡Setenta! Una o dos vidas enteras. No sé porque el encuentro con este señor, cuyo nombre ni siquiera recuerdo, me dejó tan impresionada. Luego de la conversación con él no puedo evitar pensar en las tantas personas que siendo mucho más jóvenes ya han dejado de luchar por lo quieren porque sienten que son muy viejos o viejas para hacer lo que sea.

No puedo dejar de preguntarme también cuantas personas que se nos sientan al lado en una cafetería o una oficina médica, tienen historias de vida maravillosas que nos perdemos por permitir que el miedo o la timidez nos impidan iniciar una conversación. Este encuentro casual me ha inspirado a varias cosas. Primero, a cuidar mi salud, porque me encantaría poder llegar a los noventas así como él. Segundo, a buscar continuar haciendo aquello que me da pasión, sin importarme lo que piensen los demás o si hay otros más jóvenes que lo puedan hacer mejor. Siempre hay espacio para todos si sabemos buscarlo. Yo también espero seguir escribiendo y aprendiendo hasta que me muera, y aún cuando la artritis me esté comiendo los huesos, seguiré buscando la forma de llegar hasta la Bombonera a tomar café.

Pero más allá de lo que ocurra en el futuro, ahora en estos momentos, el recuerdo de este señor se va a convertir en un empujón de motivación cada vez que sienta que la vagancia física o emocional amenace con detenerme. Él nunca sabrá cómo ha motivado a una motivadora...

Compromisos que dejan huella

*V*arios días después de haberse publicado la columna "Encuentros que dejan huella," tuve otro encuentro interesante, en esta ocasión a través de la Internet. Recibí un correo electrónico de otro caballero, este de nombre Isaac, quien quería que yo supiera que él era uno de esos "clientes" que todavía tenía Don Antonio. Habló maravillas del viejo, pero lo más que me impresionó de su carta fueron las siguientes palabras. "Yo hice un compromiso de que mientras él viviera, yo sería su cliente."

Hoy en día y con lo difíciles y competitivas que están las cosas en el mundo de los negocios, la mayoría de las decisiones que se toman en el ambiente empresarial tienden a basarse en eficiencia, efectividad, dólares y centavos. Yo estoy segura que Isaac, como pequeño comerciante, estaría haciendo una decisión económicamente lógica si prescindiera de los servicios de Don Antonio. Posiblemente podría conseguir alguien más joven, con estilos de trabajo más innovadores y quien seguramente le ofrecería mejores precios. Pero no, él decidió valorar más a la persona que su eficiencia, puso al ser humano por encima de los dólares y los centavos.

Isaac no sabe lo feliz que me hizo al escribirme. Cada vez que ocurre algo que me tienta a perder fe en la humanidad, en la capacidad de los seres humanos para crecerse y darle importancia a lo que realmente la tiene, llega una carta, un encuentro, o una historia que me hace recuperar esa fe. El compromiso con la dignidad que hizo este comerciante me parece un ejemplo digno de emular. Hoy tal vez no existen muchos Don Antonios, personas que después de los noventa tengan todavía la salud, la pasión y el deseo de querer "trabajar". Pero según las estadísticas, en los próximos años cada vez vamos a ser más los que lleguemos a viejos con mayores capacidades que aquellos de las generaciones que nos precedieron.

Debe ser terrible tener todavía mucho que dar y ver como una y otra puerta se te va cerrando en la cara sencillamente porque otra persona decide tu fecha de expiración. Todos los días, en empresas privadas y agencias de gobierno, se dan choques entre los jóvenes que llegan nuevecitos y aquellos que ya deberían estar "camino al retiro." Se dan choques de estilos, de niveles educativos y de dilemas éticos. Si en vez de verlos como diferencias, nos abriéramos a aprender unos de los otros, nuestro ambiente laboral sería mucho más enriquecedor.

Yo felicito a Isaac y a aquellos como él que saben apreciar y respetar la dignidad humana, ayudando a otros a sentirse que no importa su edad o capacidad, valen por sencillamente ser.

Posdata: Tuve la oportunidad de entrevistar a Don Antonio y Don Isaac juntos para un programa sobre la productividad en la tercera edad. Fue una de las entrevistas que más me he disfrutado en mi carrera como periodista.

CAPÍTULO II

Más allá

de las crisis

"Comunidad significa fuerza que se une a nuestra fuerza para realizar el trabajo que tiene que hacerse. Brazos para sostenernos cuando nos tambaleamos. Un círculo de sanación. Un círculo de amigos. Ese lugar dónde podemos ser libres."

Starhawk

En las buenas y en las malas

Ese día pasé frente a un establecimiento que queda cerca del negocio de mi familia. Había un camión estacionado al frente y varios hombres lo estaban llenando de mercancía y mobiliario. Otra víctima más de la crisis económica.

No conozco a los dueños. Ni siquiera sé sus nombres. Pero no pude evitar que se me aguaran un poco los ojos. Recuerdo haber visto como transformaron, hace poco más de dos años, ese espacio que había estado abandonado por mucho tiempo. Crearon un local elegante, con una decoración exquisita y mercancía hermosa y de alta calidad. Me imagino lo que deben haber sentido el día de la inauguración, esa sensación de juguete nuevo, esa esperanza de prosperidad futura combinada con el cansancio de tanto trabajo y preparación.

Sentí mucha compasión por el sentido de pérdida que tienen que estar experimentando en estos momentos, un sentido que comparten con tantas personas que han tenido que cerrar sus negocios o que han perdido sus empleos en estos tiempos de crisis. Pensé en cuántos de ellos pueden sentirse que han fracasado o se encuentran ante una parálisis emocional tan grande que apenas les permite respirar.

Yo nunca he invertido en un negocio así que no sé lo que se siente al perderlo. Pero sí sé, porque he "fracasado" muchas veces, que podemos salir de cualquier experiencia negativa más fuertes de lo que entramos. Siempre me fortalece el pensar que, por lo menos, lo intenté.

Me rechazaron la propuesta, me cancelaron el programa, o se terminó esa relación en la cual había hecho una gran inversión emocional. Pero me queda la satisfacción de haberme tomado el riesgo. Todas las personas exitosas fracasan en algo todos los días. Los hace exitosos el hecho de que no se quedan en el fracaso sino que miran más allá. Podemos ganar en las buenas y en las malas si escogemos hacerlo. Espero que tú escojas correctamente.

Pancakes para todos

$\mathcal{E}$l ambiente laboral está tenso. Y no hablo únicamente de lugares donde existen uniones y convenios colectivos, sino de todo espacio de trabajo. Son muchos los empleados que se preguntan cuándo y cómo comenzarán los recortes. Y muchos también los empresarios que se preguntan cuánto el negocio podrá aguantar antes de tener que comenzar a tomar decisiones difíciles.

Esa misma pregunta se la estuvo haciendo la empleada de una cafetería especializada en "pancakes" en el estado de Michigan. Pero en vez de sentarse a esperar, actuó. Decidió donar un día de trabajo, limitándose a recibir las propinas del día, con tal de aliviarle la carga al dueño del negocio. Y con su gesto inspiró a sus diecisiete compañeros de trabajo a hacer lo mismo.

¿Qué puede llevar a un grupo de personas viviendo momentos de tanta incertidumbre a realizar un gesto de generosidad como éste? Es obvio que hay un respeto por los dueños del local y la forma en que manejan su negocio. También demuestran un verdadero sentido de "colectivo," esa sensación de que todos son parte del mismo proyecto de vida. Aquí no entraron los cuestionamientos de "esto es suyo y no mío" o "yo tengo que velar por mis habichuelas." La decisión se tomó a base de una premisa: "Este es un buen negocio, del cual vivimos todos, y todos queremos verlo ser exitoso."

Las crisis sirven para demostrarnos la realidad detrás de las fachadas. Cuando la vida aprieta es que sabemos quién es quién, porque los miedos pueden sacar lo mejor o lo peor en nosotros. Me da mucha tristeza aquellas empresas, pequeñas y grandes, donde empleados y jefes insisten en verse como enemigos en vez de cómplices en la búsqueda de la prosperidad. Yo, personalmente, prefiero quedarme con hambre luego de haber compartido un "pancake" en buena compañía, que haberme hartado comiéndomelo solita. ¿No creen que el mundo sería mejor si pensamos "en grupo"?

Apoyo en cualquier esquina

Aquel día me encontraba haciendo fila esperando que abrieran una sucursal bancaria. Las primeras cuatro personas en la fila éramos mujeres y no pasaron más de cinco minutos cuando ya estábamos enfrascadas en una interesante conversación. Dicen las malas lenguas que la mayoría de las mujeres hablamos hasta por los codos, y es posible que sea cierto. Pero más que ver la tendencia al jarabe de pico como un defecto, yo prefiero verlo como una de nuestras más grandes virtudes. Tenemos la capacidad de transformar cualquier encuentro en un grupo de apoyo.

En esa media hora frente a aquel banco vimos llorar a una mujer de setenta años al narrarnos la soledad tan grande que siente y su frustración al no haber podido hacer entender a su hija lo mucho que la necesita. A todas nos partió el alma, hasta el punto en que cuando finalmente abrieron la puerta del banco, sentí una necesidad muy grande de ir a abrazarla. Otra de ellas era sobreviviente de cáncer y acababa de descubrir que el tumor había regresado. Se veía tan cansada y adolorida que por momentos parecía que no iba a poder sostenerse en pie.

Cada una de las que estábamos allí compartimos historias, intentamos dar apoyo, nos reímos por momentos y en otros, se nos aguaron los ojos. Pero lo importante es que hablamos, y estuvimos allí para apoyarnos unas a otras aunque fuera por unos minutos. Y de la misma forma que lo hacemos en una fila del banco, lo hacemos en el "food court" de un centro comercial y especialmente en las oficinas de los médicos. Hablamos, compartimos historias, nos aconsejamos, y, de alguna forma, descargamos y sanamos un poco. Es algo que a los hombres se les hace más difícil. No es que no hablen, claro que hablan, pero generalmente de cosas más superficiales, más "prácticas," como política, deportes, o la situación del país. Nosotras hablamos de gente que queremos, de pérdidas, de miedos, de alegrías y de penas.

Siempre me he preguntado si esta es una de las razones por la cual, según las estadísticas, se suicidan el doble de hombres que de mujeres. ¿Será porque nosotras al hablar, al comunicarnos, de alguna forma nos sentimos menos solas y menos perdidas? Por eso es que es tan importante que no dejemos de hablar, pero más que nada, que no dejemos de escuchar. ¿Qué mensaje te está tratando de dar esa persona que ni siquiera conoces y que, sin embargo, te está contando cosas bien personales de su vida? ¿Qué necesita de ti?

Aunque no seas un profesional de la salud mental, en ese momento, en esa fila, en esa parada de autobús, en esa sala de espera de la oficina médica o la agencia de gobierno, tú puedes hacer la diferencia en la vida de alguien. Una palabra de aliento que digas, un gesto de compasión de tu parte, o, si no sabes cómo reaccionar, hasta una frase como "debe ser tan difícil lo que estás viviendo," pueden despertar algo en ese ser humano que emocionalmente se siente dormido.

Recuerdo haber leído un artículo acerca de la salud mental en el cual un psiquiatra decía que "la salud mental de nuestro país es responsabilidad de todos." Creo que tiene mucha razón. Y en este momento no puedo dejar de pensar en el caso de aquella madre que mató a su hijo para después intentar quitarse la vida. "¿Cómo puede una madre hacer una cosa así?" se preguntaban muchos. Puede hacer una cosa así una mujer que no ve otra cura para su dolor que la muerte, y quien a la misma vez no puede concebir la idea de dejar a su hijo solo. Y me pregunto qué hubiese pasado si el día que esa mujer iba a atentar contra su vida y la de su hijo, se hubiese encontrado en una fila de un banco con otras mujeres, hablando y sintiéndose escuchada. Sólo me pregunto qué hubiese pasado…

Se necesitan dos...

Un día se me acercó un caballero muy amable quien me confesó ser un asiduo lector de mis columnas. Se sintió en la confianza de pedirme que lo ayudara a arrojar luz a cierta situación. "Si una persona insulta a otra," me dijo, "y esa otra lo insulta de vuelta, ¿quién de los dos tiene la culpa de lo que ocurra?" Me estuvo sumamente curiosa la pregunta. Me imagino que tendría algo que ver con algo que él o alguien cercano a él había vivido recientemente.

Mi primera reacción fue pedirle que sacáramos de la ecuación la palabra "culpa" porque siempre me ha parecido que tiene una carga muy negativa. Le pedí que habláramos de "responsabilidad." "¿Pues quién tiene la responsabilidad entonces?" preguntó.

Mi contestación, como todo consejo que pueda dar, partió de mi experiencia, tanto la vivida como la observada. El primero en agredir fue el que, definitivamente, le abrió la puerta al conflicto. Pero está en el que recibe la agresión el cerrar o no esa puerta. Claro, estamos hablando en este caso de una agresión verbal. Cuando el ataque es físico y hay que defenderse, entonces en ese momento hacemos lo que tengamos que hacer para protegernos. Pero cuando lo que llega es un insulto, sarcasmo, o palabra hiriente, el que la recibe vendrá siendo el responsable de detener el ciclo. Si respondemos al coraje con coraje, la situación posiblemente va a escalar, y todos van a perder en el proceso.

"El silencio, entonces, es la respuesta?" continuó preguntando el caballero. Otra pregunta interesante. Hay dos tipos de silencio. Está el silencio del que calla y traga, y está el silencio del que respira profundo, y se da el espacio y tiempo antes de responder diciendo o haciendo algo de lo cual después se va a arrepentir. El primer tipo, el silencio que es sinónimo de "aquí no ha pasado nada" y "a mi nada me molesta" puede ser altamente tóxico. Ese no nos permite evolucionar, sino que por el contrario, nos lleva a tragarnos cosas que eventualmente nos van a envenenar por dentro.

El otro silencio, sin embargo, es el que nace de nuestra capacidad de ver a esa otra persona no como un enemigo, sino como una extensión de nosotros mismos. Es el que nos permite racionalizar y entender que esa persona que nos está agrediendo sin justificación alguna, no tiene otra alternativa que la violencia porque debe estar marcada internamente por gran dolor, coraje o miedo. Y al ver a esta persona con otros ojos, podemos guardar un silencio saludable y más tarde, si la situación lo amerita, entonces regresar y expresarle lo que sus palabras significaron para nosotros. Eso se llama compasión, y a eso se refería Jesús, posiblemente, cuando hablaba de amar a nuestros enemigos.

"Ah..entonces eso quiere decir que para perdonar a alguien y no responder, primero debemos ponernos en sus zapatos para sentir compasión hacia ellos," concluyó finalmente el hombre. "En mi experiencia," le dije, "eso es lo que funciona." Definitivamente, para pelear se necesitan dos, pero para perdonar y sanar, sólo hace falta uno.

CAPÍTULO III

Volando

en familia

> "Otras cosas pueden habernos cambiado,
> pero comenzamos y terminamos
> con la familia."

Anthony Brandt

Lecciones de un viaje a Europa

Les escribo desde un crucero en medio del Mediterráneo. Durante los pasados once días he visitado, junto a mis padres y mi esposo, once puertos europeos. Mañana nos despedimos del barco para regresar a la realidad. Pero hoy decidí sentarme a compartir con ustedes reflexiones acerca de las vivencias de estos pasados días.

Una de las cosas maravillosas que tienen los viajes es que uno aprende a apreciar mucho más lo que tiene. Los seres humanos tendemos a siempre ver la grama del vecino más verde. Pero si bien es cierto que todos tenemos algo que aprender de otras culturas y naciones, también hay que admitir que muchas veces menospreciamos lo que somos como pueblo. Ahora mismo, por ejemplo, estoy sentada en la acogedora biblioteca que tiene el barco. Hay unas cinco o seis personas a mi alrededor leyendo y hojeando revistas. Hace unos minutos acabo de estornudar y todavía estoy esperando por un "God bless you." Y es que el "Dios te bendiga," es algo así como el "buen provecho," una pequeña frase que de alguna forma nos conecta y nos hace sentir como familia, aun cuando estemos entre gente desconocida.

Y directamente relacionada a esta observación está una segunda lección aprendida, la del no juzgar, y menos aún generalizar. No todos los franceses son pesados y no todos los ingleses son secos y poco expresivos. De hecho, de todos los muchos europeos que conocí en el barco, los más simpáticos, amables y atentos fueron una pareja de ingleses. Hay personas amables, pesadas, consideradas y egoístas en todos los países y en todas las culturas. Viajar cargando con prejuicios es disfrutar a mitad porque no es posible disfrutar el presente cuando se vive juzgando.

Y hablando de vivir el presente, pienso que esa precisamente es la más grande lección que he recibido de este viaje. Mis papás nunca habían visitado Europa y por eso quise hacer esta travesía con ellos. Hoy gozan todavía de suficiente salud como para disfrutarse un viaje así; mañana, quien sabe. Pero les confieso que desde que era niña no había pasado tanto tiempo corrido junto a mis padres. Y como decimos en buen puertorriqueño, "no es lo mucho, sino lo seguidito…"

Todo el que haya viajado en grupo, familiar o de amistades, sabe que hay momentos en que los temperamentos chocan y los ánimos se caldean. Mis padres tienen una relación sumamente extraña. Son como el aceite y el vinagre, pero llevan juntos cincuenta y tres años. Discuten todo el tiempo, pero si en algún momento se me ocurre decirles que "no peleen más," me miran como si yo estuviera loca. "No estamos peleando nena, es que nosotros nos hablamos así…" Respiro profundo y vivo el momento.

Mi madre, a quien adoro, es una de esas personas que vive anticipando todo lo negativo que puede ocurrir y además, pensando en voz alta. "¿Y qué pasa si nos perdemos por aquí?" "¿Esta T-shirt no estará más barata en la otra esquina?" "¿Y si llueve esta noche y nos congelamos del frío?" Si a las constantes preguntas de mami sumo la clásica de papi, "¿Tú sabes si aquí hay baño?" y la de mi esposo "¿Hay que ir a un tour mañana también?"

podrán comprender que la cosa no estuvo fácil. Respiro profundo y vivo el momento.

Pero, a pesar de todo, no cambiaría por nada lo vivido junto a mis padres en estas dos semanas. Haber disfrutado juntos Venecia de noche desde una góndola; haberle visto la cara de pánico a mami cuando se montó con papi en "scooter" para recorrer la isla griega de Santorini. Jamás olvidaré la cátedra de salsa que dimos papi y yo en la discoteca del barco, ni la emoción de ver a mami arrodillarse en una de las capillas dentro de la Basílica de San Pedro en el Vaticano. La vida es un viaje. Vamos a intentar cargar entonces con los mejores recuerdos. De lo contrario, el equipaje se torna demasiado pesado.

Lecciones de un abanico

$\mathcal{E}$se día se había fundido la bombilla en el abanico de techo de la sala. Tom intentó desenroscar la tuerca decorativa que aguanta la lámpara, pero no pudo. Utilizó cuanta herramienta encontró, siempre cuidando de no marcar o dañar la tuerca, pero nada. Cuando llegué a casa lo encontré molesto y frustrado con el abanico. Mi marido no tiene mucha paciencia para este tipo de cosas, y como la mayoría de los hombres, su primer instinto es usar la fuerza. Yo, como no tengo mucha fuerza, tengo que bregar con maña.

Le pedí que me dejara intentarlo. Lo primero que hice fue buscar el manual de instrucciones del abanico (yo siempre guardo las instrucciones por si las moscas). Me subí a la escalera, empujé un poco la lámpara de cristal hacia el techo para quitarle presión a la tuerca, y la desenrosqué con mi manita santa, sin necesidad de herramienta alguna. Era cuestión de buscarle la vuelta. Pero él no estaba viendo más allá de la tuerca. El entendía que allí estaba la única solución al problema y al desesperarse por no encontrarla, se cegó a las otras opciones que tenía para resolverlo.

Todos los días veo personas "forzando" cosas como forma para obtener lo que creen es lo mejor para ellos. Y ese constante forcejeo los lleva a vivir molestos, agriados de la vida y, sobre todo, cansados de seguir tratando. Hay veces que lo único que podemos hacer es respirar, observar, y dejar de intentarlo. No siempre vamos a tener un manual de instrucciones cerca para guiar nuestros pasos, pero al separamos de la situación le damos espacio a la intuición para que despierte y casi siempre comienzan a fluir nuevas ideas. El abanico ya tiene bombilla, y la experiencia me recordó que la solución a los problemas casi nunca está donde creemos.

Blanca y radiante...

Siempre lloro en las bodas. No sé porqué, aunque los novios lleven años viviendo juntos y la ceremonia sea una simple formalización de lo obvio, siempre lloro. Hay quien pueda pensar que soy una experta en bodas, después de todo, llevo tres. Pero que va, jamás me atrevería a aconsejar a alguien en torno a cómo organizar la boda ideal. De hecho, mis tres bodas han sido tan y tan distintas la una de la otra que casi parecería que pertenecieron a tres encarnaciones diferentes.

Mi primera boda fue la que podríamos llamar la "clásica." Me casé virgencita (sí, virgencita) y de blanco, en una iglesia católica y con mi primer novio. Estaba esquelética porque me había puesto en una dieta estricta de atún y café (altamente nutritiva), para verme bella el día de mi boda. Tenía tres trabajos para poder pagar la boda y así ayudar a mis papás. Sé que si hubieran tenido el dinero me hubiesen preparado una boda digna de una princesa. Pero yo soy la mayor de cinco mujeres, así que sabía que lo les esperaba en los próximos años en lo que a gastos de boda se refiere, no iba ser fácil. Una de mis primas me prestó la casa y asistieron casi doscientos invitados. Quedó hermosa, pero yo estaba tan cansada entre el trajín y la dieta que no puedo decir que me la gocé. Un amigo de la familia, fotógrafo aficionado, ofreció regalarme el álbum de bodas. Un mes más tarde me llamó casi llorando para informarme que todas se habían dañado, y que las únicas que pudo salvar "se ven verdes." Ahora pienso que tal vez ese fue el augurio de aquella relación no duraría. Cinco años más tarde nos divorciamos.

Mi segundo matrimonio llegó de forma inesperada. No es que saliera embarazada, sino que mi compañero, con quien llevaba ya un año de convivencia, decidió de un día para otro que debíamos casarnos antes de irnos al viaje a Europa que teníamos programado. En otras palabras, que primero se planificó la luna de miel y después se nos ocurrió lo de la boda. Llamé a mi tía Nelly un lunes y le dije que necesitaba que me prestara su sala para casarme ese jueves. Me dijo que sí sin ni siquiera preguntar. Entre familia y amistades, no había más de quince personas. Les confieso que en realidad no estaba tomando el asunto muy en serio pensando que, después de todo, era mi segunda boda, así que era no para tanto. Estaba en la sala compartiendo con todo el mundo y hablando como si fuera una invitada más. Pero la jueza que vino a casarnos me llevó a una de las habitaciones y me dio tremendo regaño. "No importa cuántas veces te cases en tu vida, una boda siempre es un momento especial así que te quedas aquí dentro hasta la ceremonia y te comportas como una novia." Toma... Pienso que fue en ese momento que caí en consciencia de que realmente me estaba casando y me entró tremenda temblequera. Cuando llegó el momento de la ceremonia papi fue a la habitación a buscarme y me escoltó hasta la sala. La jueza habló tan lindo que me hizo llorar. El novio estaba grave con una monga y hasta fiebre así que no pudimos disfrutar de la fiestecita. Quizás esa era otra señal de que esto tampoco iba a durar. Siete años más tarde nos divorciamos.

Mi tercera boda, y la más pública, fue en el Wedding Pavillion de Walt Disney World en Orlando. Mi novio y yo nos habíamos conocido allí, así que la gente de

Disney nos invitó a que nos casáramos allí y permitiéramos que la prensa cubriera la historia de una periodista puertorriqueña y un caricaturista californiano cuya historia de amor comenzó precisamente en Animal Kingdom.

Todo se planificó en menos de una semana así que los únicos familiares presentes eran mi hermana, su esposo y las nenas que llegaron desde Tampa, y el hermano de Tom que voló desde San Francisco. El resto de los invitados eran periodistas de medios hispanos, y yo sólo conocía a los cuatro o cinco de medios puertorriqueños. En esta ocasión tampoco estaba tomando la cosa muy en serio. Después de todo, ¡me estaba casando en el mundo de la fantasía! Pero en un momento dado durante la ceremonia, Tom y yo miramos a la misma vez a través de la pared de cristal del pabellón y vimos al otro lado del lago el hermoso castillo de Cenicienta. Como somos dos románticos empedernidos, aquel instante transformó el momento en uno mágico. Tom no paró de llorar de la emoción en toda la ceremonia. Cinco años más tarde esta relación también terminó en divorcio, pero tal parece que la magia jamás desapareció, porque diez meses más tarde volvimos, y hasta el sol de hoy.

A cada rato nos preguntan si pensamos volver a casarnos legalmente. No lo sé. Sólo sé que los dos llevamos puestos nuestros aros de matrimonios como antes del divorcio. Además, ese certificado de matrimonio firmado por Mickey y Minnie, y el cual adorna la pared de la entrada de nuestro hogar, significa demasiado para nosotros como para atrevernos a sustituirlos por uno común y corriente. El tiempo dirá hacia donde nos lleva el destino.

¡Ay Madre!

Quiero comenzar aclarando que yo adoro a mi madre. Es una mujer excepcional a quien le debo todo lo que soy hoy (con excepción del sentido del humor que, gracias a Dios, heredé de papi). Sin embargo, ¡que facilidad tiene esa mujer para sacarme por el techo! Lo único que me consuela es que yo no soy la única mujer profesional asertiva, exitosa y, por momentos, casi segura de si misma, que tiene choques con su madre. Yo estoy segura que fue de uno de esos choques que nació la frase: "¡Esto está de madre!"

En la mini-encuesta informal que he ido realizando sobre el tema, la respuesta a la pregunta "¿Qué es lo que más te molesta de tu mamá?" es casi siempre la misma: "Chica, que todo me lo critica." Claro, hay críticas y hay críticas. Yo, por ejemplo prefiero las críticas abiertas, aquellas en las cuales te dicen las cosas de frente y de una forma directa. Pero ese no parece ser el estilo general de las madres. La mayoría de ellas, como la mía por ejemplo, son criticonas encubiertas. Son de las que tiran la piedra y esconden la mano. Son de las que matan con amor, pero con cuchillo de palo. Y como duele….

Hace algunos años mami decidió convertirse en vegetariana estricta, o como bien dice mi marido, en "veggie nazi." Este cambio hacia un estilo de vida naturista ha hecho maravillas por su salud, pero ha afectado grandemente la salud mental de sus hijos y nietos. Ni yo, que no como carne roja hace veinte años, me salvo de los comentarios. Si te ve comiendo algo que ella considera "veneno," que es casi todo lo que no sea hojas y granos, no necesariamente te lo dice, sino que te hace algún comentario como "Después no te quejes cuando tengas sinusitis...." o "Tú estás en televisión, nena, y tienes que cuidarte..." ¿Por qué no me dice que estoy gorda y ya? Es imposible disfrutar un almuerzo o una cena con ella. Para mami todo, desde un mal de amores hasta los síntomas de la menopausia, se resuelve con una dieta vegetariana.

Yo sé que mami se siente bien orgullosa de mi trabajo, pero tengo que admitir que su diva es Jossie Latorre. ¿Por qué? Porque Jossie es vegetariana y tanto su programa de radio como su columna en el periódico, ambos excelentes, por cierto, giran alrededor del tema de la salud natural. "Tú deberías tener un programa como el de Jossie," me dice mami. "Mama, pero yo tuve un programa de saluda durante mucho tiempo." "Sí," responde ella con esa sutileza que la caracteriza, "pero no como el de ella porque tú casi nunca entrevistas naturópatas." Y yo respiro profundo.

Un día estoy en fila esperando para pagar en la caja de un supermercado y la señora que estaba frente a mí acomodando su compra se sonrío muy simpática y se me presentó. "Hola Lily," me dijo, "quería decirte que soy bien fanática de tu programa de salud, no me lo pierdo. Tú no me conoces, pero yo soy la mamá de Jossie Latorre." Yes ! Esa señora jamás sabrá lo feliz que me hizo.

Yo sé que mami tiene una espinita por dentro por el hecho de que hace muchos años me alejé de la Iglesia Católica para perseguir un estilo de vida budista. Pero ella vive con la esperanza de que vuelva como la hija pródiga. ¿Y cómo lo sé? Detalles como dejar en mi casa un libro titulado "Sed de Dios," escrito por una periodista italiana que narra como la fe católica transformó su vida. Según ella, lo trajo a casa para devolvérselo a mi tía, pero se le olvidó hacerlo. Que curioso que justamente lo dejó en una mesita/altar que tengo en la entrada precisamente al lado de la foto del Dalai Lama. Así, como quien no quiere la cosa.

Podría escribir un libro entero sobre anécdotas "de madre" como estas y quién sabe si algún día lo haga. Pero lo cierto es que ellas tendrán sus cosas, pero nosotras tampoco hemos sido unas santas. A pesar de que he sido una niña bastante buena, tengo que admitir que le he dado también sus dolores de cabeza. Fui la primera en mi familia inmediata en divorciarme, aunque después se desató una epidemia que todavía no ha terminado. También fui la primera en convivir antes de casarme (a lo cual le siguió otra epidemia.) Me he afeitado la cabeza no solo una, sino dos veces, cosa que no ha sido fácil para ella quien considera que cualquier recorte que te deja las orejas al descubierto es demasiado corto. Así que mami, perdón por lo vivido.

Y de la misma forma que yo no le puedo prometer que no volveré a raparme el coco, a divorciarme o a convertirme del budismo al Islam, sé que ella va a continuar tratando de guiarme hacia lo que ella cree va a hacerme un ser humano más feliz y saludable. Su estilo de comunicación siempre va ser un reto para mi paciencia, pero mi pensamiento liberal y constante búsqueda existencial también van a seguir siendo un reto para su personalidad conservadora.

A medida de que pasan los años y reconozco lo mucho que se ha sacrificado y ha trabajado por nosotros, siento que entiendo cada día más quién es y porqué. Espero que todos aquellos de ustedes que también tengan a sus madres vivas, puedan reírse como yo de esos pequeños roces que no van a dejar de existir. Después de todo, y aunque nos cueste admitirlo, es mucho más lo que tenemos en común que aquello que nos separa. ¡Qué vivan las madres, nuestras grandes maestras!

La sortija de la "high"

Cuando mi sobrina mayor cursaba su tercer año de escuela superior en la Academia del Perpetuo Socorro, me llamó para decirme que posiblemente no iba a poder comprar la sortija de la escuela por lo cara que estaba. No quería que sus papás hicieran ese gasto. Yo tomé una respiración profunda, y en un acto espontáneo de desapego, le ofrecí la mía. "El diseño no ha cambiado en treinta años," le dije. "Y en mi gaveta no está haciendo mucho, así que me encantaría que la tuvieras." Yo pensé que me iba a decir que no, pero por el contrario, se puso bien contenta y al día siguiente vino a buscarla. Quedamos en que su papá, mi hermano, quien es joyero de profesión, le borraría mi nombre, el cual estaba grabado dentro de la sortija, y lo sustituiría por el de ella.

Tiana no se quitó esa sortija desde el día que se la puso. Por eso no me extrañó el que no se la quitara un año más tarde, aquella tarde en que nos fuimos para el apartamento de playa en Rincón. Era uno de esos días de calor intenso y ella, mi esposo Tom, sus dos sobrinas que nos visitaban de Estados Unidos y yo, nos zumbamos de cabeza en la playa tan pronto llegamos. No habían pasado cinco minutos cuando noté que a Tiana se le había ido el color del rostro y casi perdido el habla. "Se me cayó la sortija," me dijo con la voz entrecortada y una mirada congelada por el pánico, mientras se tocaba el dedo.

Rápidamente subí a buscar unas cuantas caretas de "snorkeling" en el apartamento y empezamos, como locos, a tratar de encontrar algún destello de brillo en el fondo del mar. Pero que va, la marea estaba revuelta y no nos veíamos ni las manos. Así que a fin de cuentas desistimos de la idea de encontrarla y lo único que se me ocurrió decir fue la tan trillada frase de "Hay que dejarla ir, que si es tuya, va a volver a ti." Digo, no puedo negar que también se me zafó la pullita del "Parece mentira que yo la conservé durante treinta años y a ti te tomó menos de un año perderla." No es que estuviera molesta con ella, pero no les puedo negar que me invadió un cierto sentido de pérdida. Después, meditando sobre el asunto, pensé que tal vez era un símbolo para ambas. Ella se acababa de graduar de cuarto año y ahora comenzará una nueva y maravillosa etapa de su vida. Y yo, aunque me cueste admitirlo, tal vez tengo que soltar ciertos apegos relacionados a aquellos años que recuerdo como algunos de los mejores de mi vida. Fue como una especie de adiós a las energías viejas.

Dos días más tarde continuábamos siento prácticamente los únicos en el condominio y en la playa. No se había vuelto a hablar del asunto. Esa mañana escuché voces en el piso de arriba y recuerdo haberle mencionado a mi esposo, "Llegaron vecinos. Es la muchacha puertorriqueña que vive en Suecia y viene dos veces al año con su familia." Al ratito vi a los hijos de ella bajar a la playa y meterse en el mar. No había pasado media hora cuando sonó el "Intercom" del apartamento. "Lily, soy tu vecina de arriba," me dijo. "Sí, saludos, que bueno que están aquí..." le contesté. Y ella continuó, "Oye, ¿por casualidad a ti se te perdió una sortija en el mar?" Esta vez fue mi sobrina la que le contestó con un "¡Sí!" que se escuchó hasta en el islote de Desecheo. "Pues mi hija la encontró…." Yo no la dejé ni terminar. "Quédate ahí que voy bajando…"

Mi sobrina y yo corrimos como dos locas, y allí en el lobby estaba Piluca con nuestra sortija en la mano. Su hija la había encontrado mientras hacía "snorkeling" con sus hermanitos, prácticamente en el mismo lugar donde mi sobrina la había perdido. Y como mi nombre todavía aparecía grabado en la sortija, la madre supo dónde llamar. El encuentro de la sortija fue el resultado de una cadena de coincidencias. El hecho de que todavía estuviera en el mismo sitio. El hecho de que ellos llegaran en ese momento de vacaciones a Puerto Rico. El hecho de que la encontrara la hija de alguien que me conocía y no unos turistas extranjeros que no supieran quien era Lily García. Ni a mí ni a Tiana se nos olvidará jamás el milagro de la sortija que volvió a nosotras porque en realidad era nuestra. Esta hermosa experiencia me recordó algo que se me había olvidado: que cuando las cosas tienen que ocurrir, ocurren, y uno no es quien para cuestionar el Universo. Así que la próxima vez que se te pierda algo en la vida, déjalo ir y continúa tu camino, que lo que está para ti, llegará a ti.

Posdata: *Esta ha sido una de las columnas más comentadas de todas las que he escrito. Al publicarse, recibí decenas de emails de personas narrándome anécdotas de sortijas y otras piezas de joyería que regresaron a ellas luego de meses y en ocasiones hasta años de haberlas perdido.*

Una de las que más me impresionó fue la de una señora que alquiló su casa en PR y se mudó durante varios años a la Florida. Cuando regresó a la isla a vivir nuevamente en su vieja casa, se encontró, un día que podaba el césped, con una sortija que le había regalado su mamá hacía años y que ella había dado por perdida. En los más de siete años en que otras personas vivieron en esa casa, nadie se percató de que la sortija estaba allí. Tal vez estaba esperando por ella.

La vida por momentos...

La vida está hecha de imágenes, de momentos que van y vienen en un abrir y cerrar de ojos y que podríamos perder si no estamos conscientes de ellos. Una Navidad tuve uno de esos momentos, uno de esos que se quedan grabados y que posiblemente va a definir mis futuras navidades.

A pocos días de la Nochebuena, mami y papi todavía no habían puesto ni una sola bombillita de Navidad en su casa. La temporada navideña siempre ha sido una de mucho trabajo para mami, porque todavía a sus setenta y tantos años sigue siendo el motor detrás de la joyería de la familia en el Viejo San Juan. Y a papi, quien nunca ha sido muy diestro en la decoración del hogar, le basta con que pueda jugar su cuadro de caballos los días de carreras y lo dejen ver sus programas favoritos de televisión. Podrían estar las navidades enteras sin un solo adorno en la casa y serían igual de felices.

Pero yo me rehúso a ver el hogar donde crecí sin una dosis, por más pequeña que sea, de "crismas espirit." Aquel año los árboles naturales habían estado tan escasos como caros, y como el presupuesto no está para mucho, decidí comprarles un árbol artificial de esos que ya vienen con las bombillas y todo incluido. Pensé que sería menos esfuerzo a la hora de montarlo y ya lo tendrían listo para el año próximo.

Mami estaba todavía en el negocio cuando llegué con la caja, así que papi y yo decidimos montarlo antes de que ella llegara para darle la sorpresa. Dos de mis sobrinos iban a ayudarme pero no los pude conseguir así que nos tocó a mi padre y a mí hacerlo solos. Digo, más bien yo lo monté, y él me iba ayudando. Menos mal que las instrucciones eran "a prueba de idiotas" porque ninguno de los dos somos muy diestros con estas cosas.

Y mientras abríamos la caja e íbamos sacando las piezas, pensé en las muchas Navidades que papi tiene que haber pasado armando juguetes, bicicletas, etc. para los seis de nosotros. Hoy soy yo quien tengo que ayudarlo a cambiar la bombilla del abanico de techo porque aunque sé que él lo puede hacer, me da pánico verlo treparse en la escalerita. Montamos las piezas del árbol, lo conectamos, y lo vimos juntos iluminarse. "Está precioso, hija," me dijo. "No tenemos ni que ponerle los adornos porque así se ve bello."

A sus setenta y cinco años, papi se mueve más lento en estos días. Aunque ya dejó el cigarrillo, sus más de cincuenta años como fumador le están pasando factura. Pero en su mente él sigue siendo joven. De hecho, todavía tiene el mismo recorte (y la misma cantidad de cabello) que tenía a sus cuarenta, como queriendo recordarle al tiempo que no le va a ganar la batalla. En esa media hora que pasamos montando el árbol, me hizo, como siempre, algunos de los mismos chistes que me viene haciendo desde que era niña. Y lo más grande del caso es que me río de ellos como la primera vez.

Cuando terminamos me pidió que me quedara a esperar a mami para darle juntos la sorpresa. Así que nos sentamos a ver uno de sus programas favoritos de cable, una de esas series policiacas que tanto le gustan. No dijimos mucho. Sólo estuvimos presentes, solitos los dos disfrutando ese momento. No sé cuánto tiempo más me

quede físicamente con él, pero estoy segura de que ese ratito que compartimos los dos solitos vivirá conmigo para
siempre. Sea o no Navidad quiero desearles que apren-
dan a vivir, disfrutar y agradecer esos pequeños/grandes
momentos. No hay mejor forma de rendirle homenaje a
lo verdaderamente divino en nuestras vidas que estando
presentes siempre. ¡Muchas bendiciones!

¿Quién eres tú?

Desde hace varios años tengo a mi cargo a una de mis tías. Ella vivió en Miami prácticamente toda su vida y nunca tuvo hijos. Luego de que enviudó la trajimos a Puerto Rico al notar que su salud se iba deteriorando, y que no estaba capacitada para cuidar de si misma. Su diagnóstico es de un tipo de demencia, parecido al Alzheimer, pero padece además de varias otras condiciones de salud. Su condición neurológica se deteriora lentamente. Aunque algunos días son mejores que otros.

Mi corazón está con todos aquellos de ustedes que son hoy cuidadores de personas de edad avanzada que son pacientes de Alzheimer y otros tipos de demencia. Pienso que es uno de los trabajos más difíciles que existen. Es una labor drenante física y emocionalmente, especialmente cuando la condición transforma en ocasiones a la persona, como ha sido el caso de mi tía, en alguien huraño y agresivo.

En una ocasión tuvimos que internarla en el hospital por varios días, y fui testigo de cómo agredía física y verbalmente al personal, utilizando a veces palabras que me niego a repetir. Yo me la pasé pidiendo excusas por ella, a pesar de que varias de las enfermeras buscaban tranquilizarme asegurándome que ellas entendían la condición. En uno de esos momentos difíciles en el hospital recordé el lema que aprendí hace unos años en el programa Al Anon para familiares y amigos de alcohólicos y el cual nos insta a siempre buscar "separar la persona de la enfermedad." Es, posiblemente, uno de los consejos más sabios que he recibido en mi vida.

Cuando estoy viendo a mi querida Titá, sé que lo que yo veo es diferente a lo que ve otra persona. Yo veo a una mujer que a pesar de que nunca pudo tener hijos, fue madre para los cientos de estudiantes que tuvo durante sus más de treinta años como maestra de escuela elemental. Veo a esa tía especial que cada vez que nos venía a visitar desde Miami cargaba con su guitarra para enseñarnos canciones nuevas, que nos hacía peinados, y nos mataba de la risa con sus ocurrencias y su gran sentido del humor. Veo como, ya yo siendo adulta, pasamos largas horas las dos solitas en su casa de Miami viendo videos de sus conferenciantes espirituales favoritos, la mayoría de ellos sacerdotes o teólogos de avanzada que nos despertaban interesantísimas discusiones. Aprendí tanto con ella.

Veo a una mujer con un talento excepcional para la pintura, autora de dos libros publicados y dos novelas nunca publicadas quien me contagió en un momento dado con la fiebre de los rompecabezas gigantes, de esos de más de cinco y diez mil piezas que me sentaba a descifrar con ella durante horas en la mesa de su casa.

Cuando llego a visitarla, siempre me reconoce, pero hay días, los más lúcidos, en que me recibe con una sonrisa y un "Mi amor, que bueno que viniste" que me iluminan el alma. En esos momentos cada vez menos frecuentes pero mágicos, en que se me manifiesta en total dulzura, siento el impulso de gritarles a todos "¿La vieron que linda? ¿Quieren saber quién es?"

Recuerda siempre que detrás de toda condición mental, fisiológica o emocional hay un ser separado de su enfermedad que lo único que quisiera es que alguien lo reconociera. Al hacerlo les estamos regalando a ellos dignidad y a nosotros, como cuidadores o familiares sintiéndonos impotentes ante esta difícil condición, una herramienta para la paciencia y la compasión en momentos difíciles.

CAPÍTULO IV

El trabajo

como maestro

> "El trabajo puede ser diversión o pesadez.
> Todo depende de tu actitud.
> Yo prefiero la diversión."

Colleen C. Barrett

Adiós a la nube negra...

onversaba en una ocasión con una amiga acerca de la diferencia tan grande que puede hacer la actitud en la vida profesional de una persona. Esta amiga, una empresaria con amplia experiencia en el área de las comunicaciones, me confesó que a la hora de contratar a alguien ella valora su actitud hacia la vida por encima, inclusive, de su educación o experiencia profesional. "Yo quiero a mi alrededor gente positiva que aporte armonía a mi ambiente," me explicó.

Recordé que recientemente había leído un artículo que hablaba de cómo, ante los despidos masivos que ocurriendo en compañías a través de todo el mundo, muchos supervisores estaban valorando la capacidad de algunos de estos empleados para trabajar en armonía con los demás y mantener actitudes positivas, a la hora de tomar la decisión de quien se queda y quien se va.

Lo cierto es que a nadie le gusta trabajar con personas a quienes les apesta la vida. Todos hemos tenido por obligación que compartir labores profesionales con gente que vive como arrastrando una nube negra de negatividad sobre sus cabezas, ya sea porque detestan lo que hacen, o porque su carga de problemas personales y/o inseguridades es tal que han llegado a desarrollar estreñimiento emocional.

De hecho, hay una nueva rama de la medicina, conocida como psicoinmunología, que estudia la relación tan estrecha que existe entre las emociones y actitudes negativas y el sistema inmunológico. En otras palabras, que si eres una nube negra ambulante, aquí tienes varias razones válidas para empezar a cambiar: primero, es más fácil que conserves un empleo y/o que consigas uno nuevo, segundo, vas a atraer más gente positiva a tu vida, y, tercero, vas a ser más saludable. Y si eres de los que tienen que vivir con una "nube negra" en su círculo familiar, de amistades o profesional, comienza por practicar hacia ellos la compasión y demuéstrales como se puede vivir mejor a través de tu ejemplo, no de tu crítica o tu rechazo. No hay mejor arma contra una nube negra que el amor y la aceptación.

¡No aguanto más!

¿**S**ientes que te encuentras respondiendo de forma exagerada a ciertas cosas que te ocurren? ¿El día transcurrió y no puedes recordar ni la mitad de lo que hiciste? ¿Quisieras en ocasiones montarte en un cohete y dispararte, sin regreso, a Marte o Júpiter? Pues es posible que estés atravesando por un periodo de intensa quemazón profesional y/o emocional.

Como conferenciante de motivación en ambientes de trabajo, me encuentro constantemente con personas que en vez de vivir meramente sobreviven. La carga que representan sus trabajos o profesiones les están drenando el cuerpo y el alma. Es el caso del profesional de la salud que pierde la capacidad de ser compasivo con el paciente. O el de la profesional de la publicidad que no tiene tiempo ni para sonreírle a sus compañeros de trabajo porque no ve más allá de lo que tiene en su computadora. Es el caso de la persona cuyo matrimonio y vida familiar están colgando de un hilo porque el trabajo siempre es primero.

Podemos echarle la culpa a la difícil situación económica, la fuerte competencia, o la globalización. Sí, es cierto que hay elementos que no podemos controlar. Pero hay otros que sí. Siempre existe la posibilidad de detenernos y re-evaluar nuestras opciones antes de que sea demasiado tarde.

Mientras realizaba mis estudios de certificación en trabajo espiritual del proceso de muerte, pérdida y enfermedad, tuve la oportunidad de compartir con profesionales que trabajan en ambientes sumamente hostiles y estresantes, además de personas que tienen a su cargo el cuido de familiares enfermos. El curso que tomamos nos ayudó a entender que existen tres fuentes principales de "burnout" o quemazón: la pérdida de perspectiva, los asuntos no resueltos que vamos acumulando, y el cansancio y estrés que llegamos a ver con una parte natural de nuestras vidas.

Cuando estamos enfrascados en una constante actividad física o mental lo primero que ocurre es que perdemos la perspectiva, en otras palabras, que se nos olvida de dónde venimos, que hacemos aquí y hacia dónde vamos. Pregúntate hoy cual es la esencia de lo que haces. ¿Tiene algún sentido para ti? Conéctate todos los días con la intención detrás de tu trabajo o misión como cuidador o cuidadora. Esto te ayudará a mantener el enfoque sin perder de perspectiva que lo que haces es sólo eso, algo que realizas en estos momentos para ganarte la vida o para ayudar a alguien durante una etapa específica. Una cosa es lo que haces y otra quien eres.

En la categoría de asuntos no resueltos están todas esas pequeñas molestias que vas acumulando y llevándote contigo. Cuando tenemos prisa lo primero que perdemos es la capacidad para la comunicación. Tómate un momento todos los días, en la mañana y en la tarde, para respirar y preguntarte que es lo que te está molestando. Cuando no definimos claramente esas espinas, éstas se quedan con nosotros y terminan convirtiéndose en lanzas.

Y por último, maneja el estrés y el cansancio siendo más compasiva contigo misma. Tienes derecho a tiempo y espacio para divertirte y para nutrirte física y emocionalmente. Esto a veces va a requerir que pidas ayuda y el mundo no se va a acabar si lo haces. Deja de llenar tu agenda de cosas que "tienes" que hacer y preocúpate de una vez al día, por lo menos, hacer algo que "quieres" hacer. Lo que se quedó, se quedó, pero ese momento de respiro va a ser posiblemente lo mejor que puedas hacer en favor de tu productividad y salud mental.

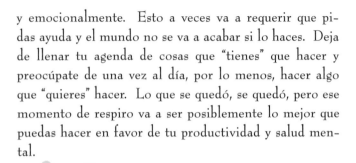

Trabajando con consciencia

La violencia nos arropa. Nos revuelven el estómago los actos de violencia que resultan del trasiego de drogas; de la tensión y enfermedad mental que estalla en los hogares; de los asaltos; y del maltrato tanto físico como emocional de tantos niños a través de todo el mundo.

Pero hay otra violencia, una mucho más sutil, y es la que se vive todos los días en muchos centros de trabajo. Es la agresividad de la cual son víctimas personas que en muchas ocasiones aman lo que hacen, pero odian el ambiente en el cual se ven obligadas a realizar sus tareas, y con razón. Estas son las que viven todos los días enfrentando actitudes hostiles, de parte compañeros de labores o personas en posiciones de supervisión. Son los que se ven obligados a escuchar y a moverse en medio de la tensión que crean las palabras hirientes, los chismes, las burlas y los comentarios destructivos de parte de aquellos que se dedican a sembrar cizaña y a dividir.

Vivimos en momentos difíciles, de mucho cambio e inseguridad. Y es precisamente en esos momentos en los cuales se mide la fibra espiritual de cada ser humano. No hay campo más importante para el desarrollo del espíritu que el ambiente del trabajo. Es hora de despertar y aprovechar esta oportunidad, estos miedos, tensiones e inseguridades, para crecer. ¿Y cómo podemos crecer si no entendemos que ese que tenemos trabajando al lado no es otra cosa que un aspecto de nosotros mismos?

Comienza a llevar la paz a tu lugar de trabajo vigilando tus motivaciones antes de hablar de los demás; midiendo tus palabras; respetando las formas de pensar de tus compañeros; siendo agradecido; y entendiendo que cada persona que te rodea está allí para ayudarte a aprender algo. Busca todos los días aliviarle la respiración a alguien en vez de hacerle la vida más difícil. Siembra la paz y recuerda que todos los seres queremos una sola cosa: ser felices.

De acuerdo a tu cristal

La vida siempre busca la forma de recordarme la gran enseñanza detrás del refrán "Todo se ve de acuerdo al cristal con que se mira." Aquel día acababa de compartir con un amigo que trabajaba en el sistema de corrección de la isla. En tres años le había tocado supervisar cuatro instituciones carcelarias distintas dentro del mismo complejo. Los problemas de salud que estaba padeciendo le estaban complicando el proceso de adaptación a su nuevo lugar de trabajo. Si difíciles pueden ser los cambios en cualquier área de trabajo, más aún lo son en lugares como cárceles, donde el establecer lazos de confianza y disciplina tanto con los confinados como con el personal es algo que requiere un esfuerzo enorme.

"Debe ser difícil todo esto para ti," le comenté a mi amigo. "Sí, lo es." me respondió. "Es un reto más. Pero si me están trasladando es porque en esta nueva institución hay situaciones que mis supervisores entienden yo puedo resolver. Tengo que ponerlo en manos de Dios y entender que todo tiene una razón de ser." Y ahí terminó la cosa.

Esa misma semana, dirigiendo un grupo de apoyo para mujeres, pregunté si alguna de ellas estaba atravesando por una situación difícil en ese momento. Una de ellas levantó la mano y compartió su inquietud con el grupo. Estando a tres años de jubilarse de su trabajo en un hospital, le han ordenado el traslado a un área de la institución donde ella ya había trabajado hace varios años. "Es un sitio donde hay mucha gente problemática y donde además no parece haber mucha disciplina," nos explicó. "Si digo que no quiero hacerlo, mi record puede quedar manchado por un reporte de insubordinación. Pero yo no quiero ir. Va a ser horrible para mí."

La mujer, una excelente profesional, nos confesó que desde que recibió la noticia del inminente traslado llora frecuentemente y hasta ha tenido problemas para dormir. De hecho, mientras compartía con el grupo, no pudo evitar echarse a llorar. Sus lágrimas son el reflejo del miedo, la frustración, y la sensación de impotencia ante algo que no esperaba a estas alturas de su carrera profesional.

En cuestión de días, tuve frente a mí a dos personas atravesando por situaciones sumamente similares, una de ellas sufriendo hasta el punto de afectarse su calidad de vida, mientras la otra, dentro de su incomodidad, optando por soltar y dejar ir. Sus circunstancias son parecidas, pero los cristales a través los cuales las están mirando son completamente diferentes. El primero jamás lo tomó personal, sino que, por el contrario, entendió que, para bien o para mal, sus jefes consideran que él es la persona que necesitan para hacer el trabajo que tiene que hacerse. Y ese sentido de propósito le aporta a la flexibilidad que se requiere para adaptarse a este nuevo reto.

La segunda, por el contrario, se quedó momentáneamente atascada en la sensación de "¿Porqué a mí?" Se siente víctima, paralizada y hasta siento punto, traicionada. Durante la sesión de coaching, el mismo grupo la ayudó a entender que si la están trasladando es porque es buena en lo que hace y sus destrezas son ahora necesarias en otro lugar. La invitamos a ver este reto como una opción para cerrar con broche de oro su carrera, dejando organizado un departamento que hoy parece estar al garete.

Y yo, sobre todo, la invité a que utilizara esta bofetada cósmica como un ensayo para los muchos cambios y pérdidas que inevitablemente le queda por delante. Espero que después de ver la experiencia a través de otros cristales, pueda ajustar el suyo para percibir esta experiencia con más claridad...la claridad de aquellos que saben que lo único seguro en la vida es el cambio y que aquellos que aprenden a fluir siempre viven más felices.

CAPÍTULO V

Livianos

como el Buda

> "El propósito de todas las principales tradiciones religiosas no es construir grandes templos en el exterior sino crear templos de bondad y compasión internos, en nuestros corazones."

Tenzin Gyatso
El Dalai Lama

¿Cómo te sientes?

*Q*uiero compartir con ustedes la siguiente historia del budismo Zen.

Un estudiante llegó hasta donde estaba su maestro y se quejó de lo siguiente: "Maestro, tengo un temperamento demasiado fuerte, ingobernable. ¿Cómo puedo curarlo?"

"Tienes algo bien extraño," respondió el maestro. "Déjame ver lo que tienes."

"Es que ahora mismo no se lo puedo mostrar," dijo el discípulo.

"¿Y cuándo puedes mostrármelo?" preguntó el maestro.

"Es que aparece cuando quiere, sin yo esperarlo," dijo el muchacho.

"Entonces," concluyó el maestro, "no pertenece a tu propia naturaleza. Porque si fuese parte de tu naturaleza, me lo podrías mostrar en cualquier momento. Cuando naciste no lo tenías y tus padres no te lo dieron. Piensa en eso."

¿Cuántas veces nos hemos escuchado, justificando una reacción, emoción o pensamiento tóxico, repitiendo la frase "es que yo soy así"? Eres así mientras quieras serlo. Es posible que algunos tengan más tendencia a la impaciencia, a los exabruptos emocionales, o al mal genio que otros, pero eso nada tiene que ver con nuestra verdadera esencia, con nuestra verdadera naturaleza.

He visto cambios excepcionales en personas que se han transformado porque sus formas de reaccionar se llegaron a convertir en una fuente de sufrimiento para ellos o para los demás. Pero para que la transformación ocurriera, primero tuvieron que reconocer que ese comportamiento los hacía sufrir, como ese estudiante que llegó hasta su maestro para que lo ayudara a cambiar su carácter.

Si queremos crecer, tenemos que vivir conscientes de nuestras emociones. ¿Qué estoy sintiendo ahora? ¿En qué parte de mi cuerpo se está manifestando? ¿Qué me está diciendo esta sensación? Si agarramos las emociones cuando están comenzando a germinar, podemos aprender a identificar de donde vienen y trabajar con ellas. Tu naturaleza es pura, es limpia y es inocente. Todo lo que no sea parte de tu naturaleza puede irse como llegó porque está de más.

El vago trabaja doble

En una ocasión leí algo que me hizo redefinir el concepto de la vagancia. Para mí, como posiblemente para la mayoría de ustedes, una persona vaga siempre había sido aquella que vive perdiendo el tiempo en tonterías, huyéndole al trabajo o a cualquier tipo de actividad productiva como el diablo a la cruz. De acuerdo al maestro budista Sogyal Rimpoché, a esta vagancia se le llama "vagancia pasiva." Pero según él, existe otro tipo de vagancia que está matando a "cuchillo de palo" nuestra sociedad. Él la llama la "vagancia activa."

La "vagancia activa" consiste en la acción de llenar nuestras vidas con actividad constante para así tratar de evitar, sobre todas las cosas, pensar en aquello que es verdaderamente importante. Todos hemos sido "vagos activos" alguna vez en nuestras vidas. De hecho, las mujeres tendemos, en ocasiones, a sentirnos hasta orgullosas de la capacidad que tenemos, en comparación a los hombres, de hacer mil cosas a la vez. Es típico encontrar a una mujer llegando de su trabajo a recoger el desorden de la casa, a la misma vez que intenta preparar la comida y supervisarle las asignaciones a los niños, mientras le da apoyo moral por teléfono a la hermana que acaba de romper con el novio.

Hay tareas con las cuales tenemos que cumplir, es cierto, pero cuanta actividad de nuestro día en realidad es mecánica y sin sentido. ¿Cuántas cosas pueden esperar? ¿Cuántas veces podríamos pedir ayuda o simplemente dejar de hacer algo, sin pensar que el mundo se te va a caer encima? Cuando nos convertimos en "vagos activos" nos acostumbramos a un nivel de estrés y de ansiedad que nos nubla la visión y perdemos de vista quienes somos. Y así pasan los años, y un día nos despertamos y nos preguntamos quien es esa persona que vive dentro de nuestra piel.

Una reciente edición de la revista Time hace un análisis de esta tendencia a las multi-tareas y como esta actividad constante está afectando grandemente nuestra capacidad para enfocarnos y para centrarnos. Los expertos dicen los "vagos activos" con el tiempo se tornan más irritables, se les dificulta tomar decisiones, organizarse, e inclusive concentrarse en un trabajo o tarea en particular. En otras palabras que si crees que el estar frente a una laptop, con tu agenda electrónica al lado y un celular pegado al oído mientras tratas de compartir con tu familia, te hace ser la persona más eficiente del mundo, cuidado, que estás montada en un tren a punto de descarrilarse. Y el golpe puede ser duro.

La vagancia activa no sólo nos afecta física y emocionalmente, sino que también se convierte en un enorme obstáculo para nuestra vida espiritual. Es imposible mantener una conexión con lo divino, como quiera que sea que lo llames, cuando no estás viviendo y respirando el momento presente. Cuando vives en vagancia activa, Dios se convierte en un salvavidas, aquello que invocas cuando ya no puedes más, o aquello que "visitas," una vez a la semana cuando asistes a un servicio religioso. El resto del tiempo vives en automático, y a la merced de las circunstancias que te rodean, como un velero sin capitán que los vientos dirigen a su antojo.

El primer paso para liberarnos de la vagancia activa, como de toda tendencia destructiva, es reconocerla en nuestras vidas. Detente por un momento. Dedícale diez minutos de tu mañana a la reflexión acerca de lo que es verdaderamente relevante para ti hoy. Identifica una imagen o una palabra, la que sea, de la cual vas a agarrarte en el momento en que te encuentras perdiendo la perspectiva y dejándote arrastrar por la tendencia a hacer y hacer y hacer. Y deja tu mente descansar en esa palabra o en esa imagen. Permite que ella te traiga al momento presente, respíralo, vívelo, ríete de ti misma, y apaga el celular.

Mientras más lejos, mejor

A nadie le gusta sufrir. El problema es que a todos nos va a tocar de alguna forma u otra en nuestras vidas. Sufrimos por situaciones que no podemos controlar o por causas que hemos creado nosotros mismos. Hay quienes sufren por todo, por cualquier cosa, y quienes, aún bajo las más severas circunstancias, parecen sufrir muy poco.

El otro día me topé con un segmento del más reciente libro de Pema Chodron, en el cual la monja budista señala que la mayoría de las personas sufren más de lo debido porque insisten en huirle al sufrimiento. Y en ese proceso de mantenerlo lejos, se enredan todavía más en el dolor. Les confieso que nunca antes me había puesto a pensar en esto, pero las palabras de esta mujer me han llevado a observar más detenidamente algo: nuestra tendencia a querer tener el sufrimiento mientras más lejos, mejor.

No me malentiendan, no quiero decir que debemos ser masoquistas y recibir el sufrimiento con brazos abiertos. Pero lo cierto es que mientras más tratamos de no ver el dolor, de alejarlo de nosotros, más sufrimos. Esta realidad se manifiesta de muchas formas. Lo vemos en la persona que sufre porque no es feliz con su pareja, y en vez de trabajar con el problema, se enreda más buscando una relación extramarital. Se duplicó el sufrimiento porque se complicó la situación. Lo vemos en la persona que sufre porque se siente sola, y termina buscando mitigar su dolor arrimándose a lo primero que encuentra. Y se volvió a complicar la cosa.

He escuchado recientemente de varios casos de personas que reconociendo que sus cuerpos les estaban dando señales de enfermedad, prefirieron no ir al médico por el miedo a recibir malas noticias, o peor aún, para no complicarle la vida a sus familiares. Y algo que pudo haberse prevenido termina causando profundo dolor a mucha gente. Hay personas que tienen cargas que vienen arrastrando con los años y en vez de mirar ese dolor con valentía y sufrirlo de una vez, extienden la tortura utilizando drogas, alcohol o sexo para no mirar. Pero el tiempo pasa, el dolor sigue allí, y los métodos con los cuales han inútilmente tratado de amortiguarlo se convierten en su mayor fuente de sufrimiento.

¿Qué ocurriría si dejáramos de huirle al sufrimiento? ¿Qué pasaría si nos permitiésemos estar presentes en ese momento de miedo o de dolor en vez de salir corriendo? Lo sentiríamos y nos dolería, claro que sí, pero en el momento. Pero al menos no estaríamos dándole más fuerza al sufrimiento empeñándonos en esquivar lo inevitable: el encuentro con nuestras emociones. ¿Que herramientas necesitamos para trabajar con el sufrimiento en el momento en que aparece?

Necesitamos humildad, para reconocer primeramente que algo nos duele y nos sentimos vulnerables. Necesitamos humor para no tomarnos demasiado en serio. Necesitamos entender que no es personal, que no somos los únicos en el planeta pasando por esto. Y por ultimo, necesitamos ver la lección en lo que sea que nos esté ocurriendo. Necesitamos preguntarnos "¿Qué me quiere enseñar la vida con esto?" en vez de "¿Hacia dónde corro para no sentirme como me siento?"

Así que deja de huir y hazte presente en tu sufrimiento. Los fantasmas se miran de frente. Es la única forma de perderles el miedo.

Oportunidades doradas

$\mathcal{E}$stoy segura de que muchos de ustedes están al tanto de la difícil situación que se vive en el Tíbet a raíz de la represión cultural y religiosa por parte del gobierno chino que invadió esa nación hace más de cincuenta años. Miles de personas, muchas de ellas monjes budistas, han sido asesinadas y encarceladas, mientras que muchos más se están ven obligados a esconderse para proteger sus vidas y hasta practicar su religión. Cada cierto tiempo nacen nuevos movimientos de protesta y resistencia pasiva por parte de la población los cuales son estrangulados con cada vez más violencia por parte del gobierno.

En una ocasión una periodista le preguntó al Dalai Lama, premio Nobel de la Paz y líder político y espiritual del Tíbet en el exilio, si estaba sufriendo mucho con esta situación. Él contestó que sí, que estaba sufriendo mucho ante la violencia que se vivía en su pueblo, pero manifestó también que consideraba este momento tan crítico una "oportunidad dorada" para crecer como practicante de su fe.

Me imagino que la entrevistadora lo tiene que haber mirado como un pájaro raro. ¿Cómo puede una persona considerar uno de los momentos más difíciles de su vida como una oportunidad dorada? Se puede. Claro que se puede. Se puede cuando sabemos que ese momento de crisis normalmente nos empujaría al resentimiento, al miedo, a la crítica o al ataque y nosotros escogemos voluntariamente hacer todo lo contrario. Se puede cuando en vez de dejarnos arrastrar por la reacción visceral de coraje que comúnmente acompaña un momento de dolor, escogemos trascenderlo, bendecirlo y dejarlo ir.

Lo está haciendo el Dalai Lama hoy cuando ve como su cultura y religión se ven amenazadas mientras a ninguna de las grandes naciones del mundo parece importarle. Y lo hizo Jesús cuando escogió no juzgar a aquellos que lo torturaron a él y a muchos otros inocentes, prefiriendo perdonarlos y entenderlos, para así poder irse livianito. Y si ellos lo han podido hacer, entonces, ¿porqué no nosotros? Estoy segura de que la vida te ha golpeado duro en algún momento, es posible que lo esté haciendo ahora mismo. ¿Qué tienes que hacer para convertir este momento de crisis en una oportunidad dorada? Primero que nada, darte cuenta de cómo devolver el ataque con ataque, y el coraje con coraje te va a destrozar por dentro. Segundo, entender que en la vida todo pasa, y que hay saber cuando estamos luchando en contra de la corriente y, sencillamente, no vale la pena el esfuerzo.

Ha descubierto, por ejemplo, su oportunidad dorada, la persona cuya pareja le acaba de decir que ya no la quiere, y en vez de optar por mendigar amor o responder con coraje, no lo toma personal, y escoge reinventarse y continuar su vida sola, pero con dignidad.

Ha descubierto su oportunidad dorada aquella persona a quien le diagnostican un cáncer, y en vez de convertirse en víctima de sus circunstancias, escoge vivir apasionadamente cada día de su vida sin pensar en cuántos le quedan.

Ha descubierto su oportunidad dorada aquel que, a pesar de haber sufrido la pérdida de un ser amado, decide celebrar su recuerdo sirviendo a otros en su nombre.

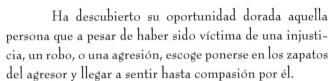

Ha descubierto su oportunidad dorada aquella persona que a pesar de haber sido víctima de una injusticia, un robo, o una agresión, escoge ponerse en los zapatos del agresor y llegar a sentir hasta compasión por él.

Han descubierto su oportunidad dorada aquellos que a pesar de tener razones de más para perder la esperanza en la humanidad, insisten en buscar hasta la saciedad lo hermoso dentro de cada ser humano.

Han descubierto su oportunidad dorada aquellos que aún después de haber sido insultados, pueden entender perfectamente que el ataque es hijo del miedo y la inseguridad y, por lo tanto, escoger no devolverlo.

La próxima vez que sientas que estás atravesando por una crisis, un momento difícil, o una situación que te está robando tu paz, detente y pregúntate por un momento "¿Cómo puedo yo sacarle el jugo a esta oportunidad dorada? ¿Cómo puedo transformarla en una de las mejores cosas que me puede haber pasado en la vida?" Siempre que preguntamos algo con la intención de crecer espiritualmente, las respuestas nos llegan. Es cuestión de escuchar.

Soltando para sufrir menos...

Tengo una hermana que es loca con la Coca Cola. Cuando digo "loca," me refiero al hecho de que si lo que hay es Pepsi prefiere no beber nada. Yo no bebo mucho refresco, pero a la hora de la verdad me da igual. Sea Pepsi o Coca Cola, Seven Up o Sprite, me da lo mismo. Sé que existe una diferencia en los sabores, pero no es una cosa que me quite el sueño y, por lo tanto, yo sufro menos que mi hermana.

Sé lo que deben estar pensando, ¿qué tiene que ver el que a uno le guste o no un refresco, con el sufrimiento? Tiene mucho que ver. Todos tenemos gustos. Podemos, por ejemplo, preferir el helado de chocolate al de vainilla, el café puertorriqueño al americano o el color azul al rosado. Pero cuando un gusto nos roba la paz, cuando nos encontramos diciendo frecuentemente "esto me encanta" o "yo odio" o "no soporto" aquello, ahí es que empieza el problema. Cuando nos casamos con nuestros "gustitos" esos gustitos se convierten en apegos, y los apegos, grandes o pequeños, siempre nos hacen sufrir.

En la filosofía budista siempre se habla de tres venenos básicos que nos intoxican emocionalmente. Estos tres son la ira, la ignorancia y el apego, siendo el más fuerte de todos el apego. Son tantos los apegos, grandes y pequeños, que tenemos, que no nos damos cuenta del daño que nos hacen o de cómo nos roban la paz. ¿Cómo saber la diferencia entre un "gustito" y un "apego"? Hay varias señales que nos lo pueden dejar saber.

Cuando sientes que sin eso o aquello, "no puedo

vivir," allí hay un apego. Cuando algo te molesta hasta el punto de sacarte de tu centro, ahí estás confrontando un apego. Cuando te incomodas porque lo que tienes no es exactamente lo que esperabas, allí hay apego a una expectativa. Cada vez que te cueste "cambiar" una opinión o una forma de ver algo, estás reflejando un apego.

La clave está en el coraje que te provoca el no tener lo que quieres, en no lograr lo que esperabas. Mientras más coraje y descontento, más apego hay.

Las "crisis" no son otra cosa que señales de que un cambio está en proceso. Somos nosotros quienes decidimos si le damos a la palabra "crisis" un contexto positivo o negativo. Generalmente escogemos el segundo, sencillamente porque los cambios nos cuestan al obligarnos a enfrentar nuestros apegos. Esta crisis económica que estamos viviendo, la cual ha hecho necesaria que nos reinventemos por dentro y por fuera, va a obligar a nuestros apegos, grandes y pequeños, a salir de sus escondites.

Fíjense que hay personas que han podido hacer grandes ajustes en sus vidas personales y profesionales sin soltar lágrimas de sangre, mientras que a otras cada cambio casi les cuesta la respiración. ¿Cuál es la diferencia entre unas y otras? Aquellos que pueden soltar más fácilmente sus apegos saben que lo único seguro en la vida es que todo cambia, y que estos pequeños ajustes que tenemos que hacer nos sirven de ensayo para los cambios y ajustes mayores que inevitablemente vendrán con el tiempo.

Aquellos que pueden soltar con más facilidad sufren menos porque se están enfocando en aquello que todavía tienen, en vez de obsesionarse con aquello que tienen que dejar ir. Si quieres crecer verdaderamente con ésta y otras crisis que lleguen a tu vida, comienza por observar aquello que te hace sufrir, aquellos cambios que, a pesar de no parecer transcendentales, te cuestan. Obsérvalos y ríete de ellos. Sabrás que los venciste el día en que no te importe que te hayan servido Pepsi cuando pediste Coca Cola.

El poder de los sabios...

¿Has sentido alguna vez que tienes poder sobre algo o alguien? El poder nos hace sentir fuertes, casi invencibles, además de aportar un sentido de seguridad, que aunque falso, nos sirve por el momento. El poder nos hace creer que estamos en control. Por eso es que la gente busca fama, riqueza y belleza, porque las tres, de alguna forma, nos dan poder.

El problema es que cuando las fuentes de poder son externas, la búsqueda de poder se convierte en un comportamiento adictivo. Mientras más tenemos, más queremos, porque uno de los efectos secundarios del poder material es el constante miedo a perderlo. Así que tenemos que hacer lo que sea por conservar ese estatus que hemos logrado alcanzar porque sentimos que si no lo hacemos, lo perdemos todo.

Para mí, el vivir así, buscando hacer lo que sea por no perder el control que ejercemos a través de nuestro poder, no es vida. Por eso hay tantos criminales de cuello blanco hoy en la cárcel, por traicionar sus valores para intentar no perder su estatus de poder. Por eso hay legisladores buscando querer meterse a decidir con quien la gente puede casarse o no, o a quien podemos escoger como pareja o no. Por eso hay tantos famosos y famosas que hacen cualquier cosa para llamar la atención, porque después de todo para ellos lo importante es "Que hablen bien o mal de mí, pero que hablen."

Hay quienes, sin embargo, no necesitan fama, ni dinero, ni estatus, ni reconocimiento, para sentirse poderosos. ¿Quiénes son estas personas? Las que han sabido cultivar las cualidades que nos hacen poderosos internamente. Estos son aquellos a quienes nada puede corromper, aún cuando tienen fama y reconocimiento. Y nada los corrompe porque no se enfocan en lo que pueden conseguir controlando a los demás, sino en cuanto pueden controlarse a si mismos.

Uno de mis grandes maestros, el monje budista Thich Nhat Hanh, hace una distinción en su libro, "El arte del poder," entre el poder material y el poder espiritual. Y lo cierto es que si uno se pone a meditar sobre las diferencias, no hay comparación. El autor señala que lo que la mayoría de la gente define "poder," es esa capacidad de adquirir dinero, sexo, buena comida y bebida, comodidad constante y estatus profesional. Aunque en apariencia todas estas cosas materiales nos hacen sentir poderosos, en la realidad nos convertimos en sus esclavos.

En el libro, el maestro enumera cinco poderes que él llama "espirituales," y los cuales en vez de esclavizarnos tienen la capacidad de hacernos libres. Estos son los siguientes: el poder de la fe (la confianza en que existe una fuerza espiritual presente en nosotros siempre); el poder de la diligencia (una vez reconoces esa fe, trabajar en no dejarla caer); el poder de vivir cada momento (vivir el hoy en vez del pasado o el futuro); el poder de la concentración (enfocarnos en una cosa a la vez); y el poder de la introspección (el meditar en aquellas cosas en que nos estamos concentrando).

Trabaja en desarrollar estos cinco poderes y habrás encontrado un tesoro de fuerza inagotable que no dependerá de lo que consigas o no del mundo exterior.

CAPÍTULO VI

Me hago

responsable

> "Si todo el mundo barriera frente a su puerta, el mundo entero estaría limpio"

Johann Wolfang von Goethe

El poder de la lengua

En Puerto Rico le llamamos el deporte nacional. Todos lo hemos practicado en algún momento en nuestras vidas, algunos más frecuentemente que otros, y hay hasta quienes viven, y viven muy bien, de él. Me refiero, por supuesto, al chisme; a esa actividad aparentemente inofensiva que como bien dice el refrán, "no es que nos gusta, sino que nos entretiene."

Sí, nos entretiene. Algo de entretenido tiene que tener cuando se ha convertido en casi una obligación el tener un chismólogo (porque fíjense que casi todos son varones) en todo "talk-show" de radio o televisión. Después de todo, según dicen los que dirigen los medios, "eso es lo que le gusta a la gente." Le he estado dando vueltas al asunto, y me pregunto ¿porqué a tanta gente disfruta conociendo detalles de la vida íntima de otros? En el caso de los artistas, por ejemplo, entiendo que el público se encariña con muchos de ellos y le gusta seguir sus vidas, sus alegrías, sus fracasos, etc. Es un interés natural, como si estos rostros que ven tan a menudo fueran parte de su misma familia.

Pero también existe esa curiosidad morbosa que se satisface a través del saber que los ricos y famosos son como el resto de los mortales: sufren, cometen errores, y tienen mil defectos. Es como si nos tranquilizara de alguna forma el saber que tienen un "lado oscuro." Sea verdad o no lo que se dice de ellos, no importa, porque la impresión que da es que ellos deben estar acostumbrados a eso, así que ¿porqué molestarse? Se nos olvida que las

figuras públicas sienten y padecen, que tienen hijos, pare-
jas, padres, hermanos, y amigos, y que cuando soltamos
la lengua estamos hiriendo no sólo a una persona, sino a
todos los que la quieren bien.

Claro, los que se dedican a esta faena en los medios de comunicación justifican lo que hacen llamándolo
"entretenimiento." ¿Podemos llamarle entretenimiento
a aquello que destruye reputaciones, que se burla y mofa
de otros seres humanos, y que fomenta la violencia verbal en nuestros hogares? Y no me refiero únicamente a
los profesionales del chisme farandulero. Incluyo en el
mismo bote a los supuestos analistas políticos que vemos
y escuchamos diariamente en la radio y la televisión. Sí,
esos que en vez de utilizar los micrófonos para aportar al
debate inteligente, se dedican a botar sapos y culebras por
la boca, a insultar a aquellos con los cuales difieren, y a
fomentar la discordia entre el mismo público que llama
para opinar.

Pero el poder de destrucción que tiene la lengua
no se limita a los foros públicos. Encontramos lenguas vi-
perinas dentro de nuestras familias, grupos de amistades,
urbanizaciones, condominios y oficinas. ¿Por qué hay
personas que se dedican en cuerpo y alma a criticar los
asuntos de otros? ¿Qué tienen en común los chismo-
sos? Primero que nada, generalmente viven vidas vacías,
aburridas y carentes de propósito. Porque el que vive una
vida productiva, física y mentalmente, no tiene ni tiempo
ni espacio para los demás, a menos que no sea para ser-
virles. Segundo, hay que reconocer que el hablar de otros
nos da cierto sentido de poder. Si no fuera así, no habría
tanta gente llamado a las líneas calientes de los chismólo-
gos para después jactarse ante sus amistades de que ellos le

dieron la información. Cada vez que abrimos la boca para decir algo que no deberíamos decir acerca de alguien, ahí está el ego, jugando su jueguito y haciéndonos creer que somos importantes porque poseemos cierta información.

Y por último, pero no menos relevante, una lengua viperina es siempre sinónimo de inseguridad. La experiencia me ha enseñado que las personas inseguras son mucho más peligrosas que las personas "malas." Uno sabe que esperar de aquellos que tienen malas intenciones, pero los inseguros siempre tienen la habilidad de sorprendernos. Una persona insegura busca subir, en la mayoría de las ocasiones, no por sus propios méritos, sino hundiendo a los demás. Y la palabra se convierte en su arma mortal de preferencia.

No importa si el chisme termina siendo público, quedándose entre dos o tres, o recorriendo toda la oficina, es venenoso porque siempre viene acompañado por la intención de hacer daño. Aquellos que creemos firmemente en que hay una ley de causa y efecto, o ley del boomerang, que establece que lo que de ti sale a ti vuelve, reconocemos la responsabilidad que tenemos cada vez que abrimos la boca. La próxima vez que te sientas seducido por el poder de tu lengua, pregúntate que vas a lograr con eso que estás a punto de decir. ¿Vas a construir o a destruir con tus palabras? ¿Qué te está motivando a hablar? Recuerda que una vez eches la bola a correr, ya va a seguir corriendo sola. Pero no olvides que fuiste tú el responsable de darle el primer empujón. Así que si no tienes nada positivo que decir, enróllate esa lengua y sigue andando.

Te bendigo y te dejo ir...

¿Alguna vez te has encontrado intentando ayudar a alguien a tomar mejores decisiones en su vida mientras esa persona insiste en repetir sus patrones destructivos? Es como si quisieras metértele por dentro y hacerla entender que hay otra forma de vivir, una más saludable, una que la va a hacer más feliz. Pero no entienden, o por lo menos parecen no entender.

En una ocasión leí un artículo escrito por alguien que ha sido maestro y guía espiritual de muchos. Él explicaba que la experiencia de tratar de ayudar a personas que no se dejan ayudar lo han hecho sentir cómo una madre sin brazos observando como se le ahoga un hijo. Podemos hacer de la experiencia una dolorosa, frustrante y traumática, o podemos simplemente soltar y llenarnos de compasión.

Yo me identifiqué mucho con estas palabras porque tanto a nivel personal con seres queridos, como a nivel profesional con aquellos que buscan mi apoyo como "coach" de vida, me he encontrado con personas quienes, a pesar de sus quejas constantes, escogen quedarse en el mismo espacio emocional. A uno le parece, de primera intención, que quieren hacer el esfuerzo, pero cuando se les enfrenta con opciones para transformar sus vidas y actitudes, no toman decisiones.

Tenemos que entender que cada uno de nosotros es responsable únicamente de sus propias decisiones y reacciones.

Las de los demás, no están bajo nuestro control. Entender esto es un ejercicio en humildad y en fe. El esperar que otros hagan lo que nosotros entendemos que les haría más felices, aun cuando podamos tener razón, es buscar controlar cosas que no son nuestras. Si cuando damos consejos o apoyamos a alguien en sus procesos nos agarramos de nuestras expectativas; si cuando ayudamos a alguien esperamos que nos pague haciendo lo que nosotros esperamos que haga, entonces no estamos ayudando, sino manipulando.

No es fácil ver a personas que queremos, seres de gran potencial y con tanto que dar, ahogándose en los vasos de agua que ellos o ellas mismas crearon. Yo sé que no es fácil. Pero es ante estas personas que podemos practicar el soltar nuestro ego, nuestras expectativas de aquello que creemos que es lo mejor para ellos, y comenzar a desarrollar la compasión que nace de ese: "Te bendigo y te dejo ir".

- A ti que insistes en que los otros siempre tienen la culpa por lo que te ocurre, te bendigo.

- A ti que te quejas siempre de lo mismo y no haces nada por cambiar tus circunstancias, te bendigo.

- A ti que no tienes la fuerza para admitir que se te han acabado las excusas, te bendigo.

Y en el proceso de bendecirte, me libero. Porque aunque me duela, reconozco que el no haberte podido ayudar no tiene nada que ver conmigo, sino con tu capacidad para ver el ser maravilloso que eres a pesar de tus debilidades, miedos y adicciones. Te doy las gracias por haberme brindado la oportunidad de practicar la compasión al dejarte ir y soltar mis expectativas acerca de tu felicidad. Después de todo, tu felicidad es tu responsabilidad. Yo lo único que puedo hacer por ti es orar, enviarte luz, y continuar viéndote como lo que eres, un hijo o hija perfecto de Dios que no ha podido reconocerse todavía.

Tú me perdonas pero...

$\mathcal{N}$o es casualidad que todas las filosofías espirituales y religiones de la humanidad eleven el "perdón" a la categoría de "virtud." Se supone que es uno de los actos de compasión más grandes que puede realizar un ser humano. Es algo a lo que toda persona debería aspirar, a desarrollar esa capacidad de perdonar a otros aún cuando esos otros hayan cometido atrocidades.

Si las grandes voces de la espiritualidad lo recomiendan, entonces algo bueno tiene que tener el perdón. Hay quien piensa que lo "bueno" le va a tocar al otro, a aquel que recibe nuestro perdón. De lo que no se da cuenta la mayoría, es de que el perdón a quien realmente beneficia es a uno mismo. El otro o la otra, el que agredió, hirió o humilló, no se tiene ni que enterar de que tú lo has perdonado. Pero tú lo sabes. Y todo el que haya perdonado sabe que el haber podido lograrlo es una de las formas de empoderamiento más extraordinarias que puede experimentar un ser humano.

El Dalai Lama, líder del budismo tibetano y ganador del Premio Nobel de la Paz, llama al perdón un acto de "egoísmo inteligente." En otras palabras, que si no te nace el deseo de perdonar a otro porque entiendes que "no se lo merece," entonces, hazlo por ti. Una vez perdones, te vas a quitar de encima cientos de libras de carga emocional. Ahí tenemos una de las primeras ventajas del perdón, es como un "Weight Watcher's" existencial porque, literalmente, nos hace más livianos.

Otro aspecto poco comentado acerca de este tema es que la falta de perdón, o el agarrarse al coraje, nos hace más feos y más viejos a todos. Si no me lo creen, piensen en aquellas personas que conocen (y estoy segura de que las conocen), que viven arrastrando resentimientos, destilando por los poros el veneno del coraje. Se les nota hasta en la piel. Y aún aquellos que puedan tener algún atractivo, terminan espantando la vida social porque a nadie le gusta compartir con personas apestadas de la vida. Piensen, por el contrario, en aquellos que conoces que han podido perdonar algo o a alguien. Generalmente sus rostros y sus cuerpos reflejan una paz que fortalece. Estas son personas que han sabido tomar el control de sus vidas, en vez de dárselo a aquello que una vez los hirió o les quitó algo. Estas son las personas que saben que lo que es verdaderamente tuyo por derecho de consciencia, no te lo quita nadie.

¿Cómo sabes si has perdonado? Eso es algo bien personal y que requiere mucho auto-conocimiento. Cuando una persona dice "Yo perdono pero no olvido," es que no ha perdonado todavía. Esto no quiere decir que uno tiene que olvidar para perdonar. Es obvio que a uno no se le va olvidar lo que ocurrió a menos que padezca de amnesia, de Alzheimer o de otro tipo de demencia senil. Sería maravilloso que nos despertáramos todas las mañanas habiendo olvidado aquello que nos dolió o molestó el día anterior. Sólo así tendríamos la capacidad de ver a las personas todos los días como si fueran nuevas, sin prejuicios ni resentimientos.

Desgraciadamente, tenemos que vivir con nuestra memoria. La persona que ha perdonado recuerda, pero no lo tiene que estar repitiendo. Puede hablar del incidente con frases como "Eso ya pasó," "Eso fue hace mucho tiempo," o "Eso yo ya lo solté." Uno escoge lo que uno quiere recordar y cómo lo quiere recordar. Por eso, cuando una persona insiste en seguir siendo víctima de sus circunstancias, reviviendo emocionalmente aquello que "me pasó" o que "me hicieron," nunca va a poder perdonar. El perdón es una cualidad espiritual, pero también una actitud de personas emocionalmente inteligentes que duermen mejor, tienen mejor salud gastrointestinal y cardiaca, menos arrugas, y más gente que los quiere a su alrededor. ¿No te parece esto motivación suficiente para dar el primer paso?

Viejos hábitos

quel día, sentada en el aeropuerto de Atlanta, me encontré riéndome de mí misma. Hacía unos minutos, un caballero que caminaba junto a mí, se me había quedado mirando con ojos que yo interpreté en aquel momento como de preocupación. Se detuvo y me dijo lo siguiente: "Ay Dios mío, yo soy médico y…"

Yo no lo dejé ni terminar, y procedí a completar su oración con un: "Y me va decir que está viendo algo en mí que puede ser grave." El hombre me miró como si yo estuviese loca y soltó una carcajada. "No, para nada," me contestó, "lo que quería decirte es que soy médico y tengo una compañera de trabajo en el hospital que podría ser tu hermana gemela porque es idéntica a ti. Así que no te preocupes, que no pasa nada."

Lo había hecho de nuevo. Había vuelto a mis andadas. De un incidente totalmente inocente había hecho una potencial tragedia. ¡Qué difíciles de romper son los viejos y malos hábitos! Pude haber anticipado cualquier cosa, que el hombre estaba perdido y me iba a pedir direcciones, o hasta que me iba a invitar a tomar un café. Pero no, a pesar de que en lo macro tiendo a buscar siempre el aspecto positivo de las cosas, en lo micro me empeño en agarrarme del peor escenario posible.

Lo que ha cambiado con los años es que ahora reconozco cuando lo estoy haciendo. Me he preguntado muchas veces el porqué lo hago. Sé que, por un lado, esta tendencia me viene a través de los genes maternos. Mi familia materna tiende a ser bien dramática (y eso, que el actor es mi padre). Pero ya estoy vieja para estarle echando la culpa a los genes por mis malos hábitos. Estoy clara en que es posible transformar la biología a través de la consciencia. Y la única forma es estando pendiente de las pequeñas trampitas que nos hacemos nosotros mismos.

Una de las mejores herramientas para comenzar a trabajar con viejos y malos hábitos es preguntarnos para qué nos sirven. He pensado que tal vez lo hago porque si espero lo peor siempre, entonces me desilusiono menos. En ese caso la negatividad me estaría sirviendo como una ilusión de protección. Y digo ilusión porque en realidad no me estoy protegiendo de nada. Hay cosas que salen bien y cosas que salen mal, y si mi meta es trabajar con soltar los apegos, entonces tengo que aprender a bregar con ambas. Aquel encuentro casual me recordó lo mucho que todavía me queda por trabajar internamente, en compasión y sin juicio, pero siempre vigilante.

Ese mismo día, y cuando faltaba media hora para que saliera mi vuelo, una poderosa tormenta eléctrica rompió aquel cielo. En aquel momento pude haberme puesto nerviosa pensando que perdería mi vuelo porque iban a tener que cerrar el aeropuerto. O peor aún, pude haber anticipado despegar entre aquellos rayos y nunca llegar a mi destino. Pero preferí cerrar los ojos y dedicarme a revivir la maravillosa semana que acababa de disfrutarme.

Sé que llegará el día en que no habrá espacio para lo negativo en mi mente. Ese día habré aprendido a realmente vivir el momento sin expectativa alguna de los resultados. Mientras tanto, seguiré trabajando en ello.

Fuera de control

$\mathscr{E}$l estrés nos está comiendo por dentro. Las causas de ese estrés pueden ser diferentes, pero los efectos son los mismos: falta de enfoque y capacidad para concentrarnos, falta de tiempo para respirar y vivir el momento, constante nivel alto de adrenalina, y prisa, mucha prisa.

El trabajo es una de las fuentes principales de estrés en esta sociedad, pero también tenemos que añadir a la lista los hijos y sus múltiples actividades, el cuido de personas mayores o enfermas en una familia, y los problemas económicos. Fíjense como las cosas que más nos afectan son aquellas que de repente no podemos controlar: esa congestión de tránsito que encontramos cuando menos lo esperamos; ese cambio de última hora en las directrices del jefe o la jefa; la pérdida de un empleo o un suceso en tu vida que te cambia los planes en treinta segundos.

La única forma de no volvernos locos ante tanto descontrol es desarrollar la capacidad de soltar, y aprender a escoger nuestras batallas. Sí, siempre nos vamos a encontrar con nuevas fuentes de estrés, pero ¿porqué empeñamos en hacer la cosa aún peor buscando controlarlo todo?

¿Cuántas veces nos encontramos perdiendo valioso tiempo y energía quejándonos, peleando y molestándonos porque algo no salió como nosotros queremos cuando podríamos estar canalizando esa energía en cosas mucho más productivas? Lo hacemos porque sentimos que tenemos algo que probar, o porque tenemos miedo de soltar y dejar que las cosas pasen porque puede que el resultado no sea el que a "MI" me gusta, o porque tenemos miedo de que si no controlamos algo o a alguien, lo vamos a perder. Y así continuamos tratando de controlar personas, situaciones y emociones sin darnos cuenta que es precisamente esa necesidad de control la que nos tiene totalmente agobiados y enfermos.

El deseo del control es hermanito del coraje, y el coraje y la paz no pueden coexistir. Así que si quieres paz en tu vida, comienza a aprender a vivir "fuera de control." ¿Qué quiere decir eso? No es que vayas a convertirte en un irresponsable. Es que vas a aprender a identificar aquello que es realmente relevante para ti.

Se empieza a vivir saludablemente "fuera de control" cuando comenzamos a identificar ese gusanito del ego que se mueve por dentro cada vez que sentimos la necesidad de controlar algo. En ese momento nos podemos preguntar: ¿Por qué es esto importante para mí? ¿Qué significaría para mi el que las cosas no salgan como yo quiero? ¿Qué me impide soltar y tener fe en este momento? Cuando contestes estas preguntas sabrás si estás buscando controlar por miedo o por inseguridad. Y una vez identificas tu motivación, se te hará mucho más fácil soltar. Pero cuidado, vivir "fuera de control" requiere gran honestidad personal.

El control no te va a garantizar que una persona que amas se quede contigo. Si lo que te saca por el techo es que los demás no sean tan eficientes como tú o hagan las cosas como tú las harías, esas expectativas que tienes de otros te van a llevar a la tumba. Practica viviendo "fuera de control" un ratito cada día, concentrándote en ese momento, vigilando cuando algo te mueve la tendencia al coraje y la ansiedad porque no está funcionando como tú querrías. Y en ese momento conéctate con tu fuente de fe, la que sea, y suelta....

Lecciones de una mudanza

*T*odo en la vida tiene su lado positivo y su lado negativo, y las mudanzas no son una excepción. Lo curioso de las mudanzas es que ambos lados son producto de lo mismo. Lo bueno es que nos obligan a hacer una limpieza; a escoger lo que se va y lo que se queda; a regalar y/o a botar; en fin, a empezar de nuevo. Lo negativo es que esa limpieza nos duele. La limpieza externa que estamos haciendo nos obliga a limpiarnos también internamente. Nos encontramos con cosas que habíamos olvidado que teníamos. Nos topamos con recuerdos que habíamos escondido.

Y cuando la mudanza viene justo después de un divorcio, en cada esquina se topa uno con un pedazo del corazón. Ese fue mi caso cuando me mudé a un nuevo espacio luego de mi divorcio de Tom en el año 2006. Yo no sabía en aquel momento que ese mismo año nos reconciliaríamos y diez meses más tarde estaríamos nuevamente viviendo juntos.

En aquel momento una parte mía quería guardar cada tarjeta que me había dibujado él en los siete años que habíamos pasado juntos, en cada cumpleaños y en cada San Valentín. Pero mi corazón sabía que era necesario soltar. Es gracioso como él viviendo allá en California y yo acá en Puerto Rico, estábamos atravesando por experiencias similares.

Él me contó que su hermana se sorprendió cuando vio en su nuevo apartamento de soltero una figura del

Buda y otra de la deidad india Ganesh, aquel que remueve todos los obstáculos. Aunque Tom nunca ha compartido mis creencias espirituales, recuerdo que me pidió las dos figuras antes de irse. Su hermana le comentó que no debería tenerlas en el apartamento, porque mientras menos cosas le recordaran a mi, más fácil se le iba a hacer seguir adelante. Tom le contestó que él seguiría adelante, pero siempre con mi recuerdo.

Lo mismo me ocurrió a mí con mis hermanas y amigas cuando me ayudaron a desempacar. Recuerdo que una de las primeras cajas que abrimos fue la que tenía todas mis fotos familiares enmarcadas, y en muchas de ellas estábamos juntos Tom y yo. Ellas también sugirieron que las guardara para facilitarme el proceso. Yo les di la razón, pero lo cierto es que no pude guardarlas todas. Me quedé con una, la foto que nos habíamos tomado el día en que nos conocimos. Esa la coloqué en una esquinita en mi dormitorio. Lo hice no tanto por apego a él, sino por tener una prueba de que lo nuestro fue real...y un recordatorio de que la vida está llena de sorpresas, positivas y negativas, pero sorpresas al fin.

Durante el proceso de escoger lo que se quedaba y lo que se iba, recordé algo que había leído recientemente. El autor describía un ejercicio para trabajar con el dolor ante los cambios. Voy a citar las palabras de Sogyal Rimpoché. "Toma una moneda. Imagínate que representa aquello a lo que estás agarrado. Agárrala fuertemente con el puño cerrado y extiende tu brazo con la palma hacia abajo. Si relajas la tensión de tu mano o la abres, vas a perder la moneda. Por eso sigues apretando. Pero hay otra posibilidad: puedes soltar y aún así no perder lo que tienes. Con tu brazo todavía extendido, tuerce el brazo para que mire hacia arriba. Abre la mano y verás como la moneda todavía está sobre la palma abierta. Soltaste. Y la moneda todavía es tuya, aún con todo el espacio que tiene alrededor."

Esta sabio ejercicio me ayudó mucho a entender el término medio entre aceptar el cambio y a la vez vivir intensamente cada minuto. Se puede amar sin apego. Se puede disfrutar sin apego. La vida tiene que ser una tortura para aquellos que se pasan apretando el puño para que no se les caigan las monedas. Yo me niego a vivir así. Prefiero vivir con la palma abierta mirando al cielo. Después de todo, lo que es mío en realidad, nada ni nadie me lo puede quitar.

En ese proceso de decidir lo que se quedaba y lo que se iba, me topé con mi caja de herramientas (no una con mis libros, sino la verdadera, la de los martillos, tuercas y taladro). Me di cuenta de que se había roto debido al peso que tenía. Decidí que, definitivamente, era hora de comprar una más grande. Y eso hice. La nueva es casi industrial, como para que todas las herramientas que he ido acumulando con los años quepan cómodamente. Serán más fáciles de cargar de ahora en adelante. Me servirá hasta que se me presente la necesidad de más herramientas, lo cual estoy segura que ocurrirá en algún momento. Y entonces, veré que hago. La vida se vive un día a la vez.

Date la oportunidad

Son muchas las personas que en algún momento me han contado sus cosas, buscando que los ayude a entender sus sentimientos o que les de una opinión acerca de alguna decisión. En la mayoría de los casos me agradecen mis palabras, aún cuando a veces les he dicho precisamente aquello que no quieren escuchar. Casi nunca vuelvo a saber de ellas.

Pero esta semana recibí un corre electrónico de una de estas personas, un hombre a quien hace varios años ofrecí un consejo a través de un programa de radio. En aquel momento él había llamado porque a sus cuarenta y tantos años había comenzado una relación con una joven de veintipico. Ambos eran libres y según él, sentía que estaban muy enamorados. Sin embargo, tenía mucho miedo de abrirse a esa relación por temor a que la diferencia de edad se convirtiera a la larga en un obstáculo. Confesó al aire de forma anónima que amistades y personas cercanas se burlaban de él porque pensaban que estaba haciendo el ridículo.

Una situación difícil para cualquiera. La lógica le decía que se detuviera. Pero su corazón (y posiblemente las hormonas, en aquel momento), le decían otra cosa. El correo electrónico que me envió, me recordó que aquel día yo le aconsejé que se diera la oportunidad, que lo importante es uno estar consciente de que toda decisión conlleva riesgos, y que nada garantizaba el que la relación funcionara. Pero peor sería quedarse el resto de su vida con la duda por miedo al que dirán. Él decidió escuchar su corazón y se fue con la joven a vivir fuera de Puerto Rico.

Cuatro años más tarde a la muchacha se le descubrió un tumor cerebral que aparentemente había estado incubando durante mucho tiempo. Luego de caer en un estado de coma que duró cerca de un mes, la joven falleció. Al momento de escribirme el, este hombre había regresado a Puerto Rico a traer las cenizas de su amada. Me dijo que fueron los mejores cuatro años que había pasado en su vida, y que a pesar del dolor tan grande que estaba sintiendo en este momento, podía asegurar que era más feliz hoy por el solo hecho de haberla conocido. Quería que yo supiera que me estaba agradecido por haberlo motivado aquella mañana en la radio a darse esa oportunidad.

Su historia me recordó una de mis películas favoritas, "Defending your life," en la cual después que cada persona muere una junta celestial decide, a base del valor y los miedos que demostró en vida, si la persona regresa a la tierra a intentarlo de nuevo o se le premia permitiéndolo pasar a una nueva y más avanzada fase de existencia. Nuestro amigo definitivamente mostró valor. Estoy segura que consideró los riesgos de su decisión, pero aún así, optó por darse la oportunidad. Amó; fue feliz; la perdió; sufre hoy, pero vivió y sobrevivirá.

Me encuentro todos los días con personas que viven paralizadas por sus miedos. No saben si comenzar una relación o terminarla. Viven durante años contemplando si dejan o no ese trabajo que ya no soportan. Sueñan con visitar lugares remotos, pero se conforman con el Discovery o el Travel Channel. Después de todo, es mucho más seguro verlos desde el sofá.

A mi amigo anónimo le doy las gracias por haberse comunicado para contarme su historia. Aunque ha tenido un final triste, sé que él va a estar bien, y sé también que va a inspirar a otros a abrirse a nuevos comienzos. En esta ocasión has sido tú el que me ha inspirado a mí.

CAPÍTULO VII

Maestra

naturaleza

"No podemos ver la naturaleza a través de los ojos, sino con nuestro entendimiento y nuestros corazones."

William Hazlett

El pavo de Lulú

*H*abía viajado ese fin de semana a Miami y me estaba quedando en el sector de Coral Gables en casa de una de mis mejores amigas. El día que llegué me sorprendió ver, a una cuadra de la casa, un hermoso pavo real color azul brillante caminando tranquilamente por la acera.

Aquellos de ustedes que son seguidores de mis columnas tal vez recordarán una que escribí hace algunos años y que, de hecho, incluí en uno de mis libros anteriores. En ella hablaba acerca de la fascinación que he sentido siempre por los pavos reales y el hecho de que no fue hasta mi primer viaje a la India en el año 2002 que descubrí el significado tan profundo que tienen estos animalitos dentro de la cultura india y especialmente en la simbología budista.

Para darles un resumen, existe una planta en la India altamente tóxica para muchos animales que el pavo real es capaz de trasformar y utilizar como nutriente. De ahí que esta criatura se haya convertido en un símbolo de cómo podemos todos transformar internamente aquello que nos hace daño o nos causa sufrimiento, para convertirlo en alimento para el espíritu.

Pero no fue hasta aquel viaje a Miami que el pavo real me dio otra lección. Resultó que el pavo no era pavo, sino pava. "Es una pava real y se llama Lulú", me dijo mi amiga Glenda. "Lleva años aquí y se ha convertido en la mascota de esta sección de Coral Gables."

Y Glenda procedió de inmediato a contarme los más recientes sucesos en la vida de Lulú. Resulta que dos familias vecinas, al ver a Lulú tan triste y solitaria, decidieron buscarle pareja, y le compraron un macho. (Típica reacción de aquellos que piensan que si una mujer no es feliz debe ser porque le falta un hombre).

¿Qué ocurrió? Que el pavo real macho no se movía del patio de los vecinos, mientras Lulú permanecía en su esquina pavoneándose por la acera. La única señal de que existía un segundo pavo real en el vecindario la daba el alarido que el pavo macho soltaba todos los días a eso de las cinco y media de la mañana tan pronto ve salir el primer rayito de sol.

Como pueden imaginar, la frustración de los vecinos era enorme. Después de invertir en un pavo, Lulú y el novio que le querían imponer ni siquiera se miraban. Estas personas, muy bien intencionadas, por supuesto, creían saber lo que podía hacer feliz a Lulú.

Esta situación me puso a pensar en las tantas veces que creemos saber lo que otros necesitan para ser felices y cómo nos empeñamos en empujarlos hacia ello. Es como si quisiéramos venderles a todos nuestro concepto personal de la felicidad.

Queremos que la gente sea como nosotros creemos que deben ser. Y lo cierto es que existen muchos caminos para llegar al balance y la felicidad, y a cada uno nos toca encontrar el nuestro.

Tal vez a Lulú no le interesa un príncipe azul (en su caso, literalmente) y prefiere seguir sola siendo la princesa de su calle. Tal vez la libertad es demasiado importante para ella. De la misma forma en que, posiblemente, esa prima o amiga que lleva años conviviendo con su novio y no tiene interés en casarse o tener hijos, es feliz dentro de su relación como está, y resiente el hecho de que todos traten de imponerle el patrón que "debe" seguir.

Yo, por ejemplo, nunca he tenido hijos, y eso, sin embargo, no me ha hecho sentir menos madre, menos mujer o menos completa como ser humano. Sencillamente al no llegar el bebé decidí canalizar esos instintos, que los tengo, y fuertes, siendo, de alguna forma, madre de otros, inclusive hasta de mis padres a veces. Tal vez debemos pensarlo dos veces antes de imponerle a nuestros jóvenes lo que deben o no deben estudiar o de quién deben enamorarse, de acuerdo a nuestros propios criterios.

Si bien es cierto que la experiencia y el instinto que se adquieren con los años nos deben hacer más sabios, también hay que admitir que lo que funciona para nosotros no necesariamente funciona para ellos. Yo nunca aprendí por cabeza ajena y tuve que darme muuuuchos golpes antes de encontrar el camino. Pero agradezco el que aquellos a mi alrededor me hayan dado el espacio y el permiso para meter la pata.

¿Sabrán Lulú y su pavo lo que quieren en realidad? No tengo idea. Pero recientemente los vecinos han recibido una pequeña dosis de esperanza. Algunas madrugadas, no todos los días, pero algunos, tan pronto el pavo real da su primer alarido, Lulú se lo contesta. Para todos parece ser un indicio de que el primer acercamiento puede estar (literalmente, otra vez) a la vuelta de la esquina.

Tal vez es que necesitaban su tiempo para encontrarse, de la misma forma que cada uno de nosotros descubre su voz y su verdad a su propio ritmo. Algunos tienen la suerte de haber traído con ellos un mapa clarito y fácil de leer. Yo me identifico más con los otros, con los que han pasado las de Caín para encontrar la ruta. Pero cuando la encuentran, no hay palabras para explicar la satisfacción que se siente al ver ese plumaje multicolor expresándose en todo su esplendor.

Más sobre el pavo de Lulú

Hace poco les conté acerca de una pavita llamada Lulú que conocí en Miami. Según me explicó una amiga en aquel momento, la pava llevaba años en esta calle de Coral Gables, y recientemente los vecinos habían decidido hacerla feliz trayéndole un novio. Le compraron un pavo, al cual bautizaron Fred, pero durante meses Lulú se negó a cruzar la calle y entrar al patio donde la esperaba su pretendiente. Mi conclusión ante los hechos fue que hay cosas en la vida que no deben forzarse, que hay que darles su tiempo y que tal vez Lulú era feliz como era y no tenía interés alguno, a pesar de las buenas intenciones de sus vecinos, de someterse a sus definiciones de "felicidad."

A los pocos meses de haber escrito aquella columna me llegó un correo electrónico de mi amiga. Lulú finalmente había cruzado la calle, y no sólo la había cruzado, sino que tal parece que Fred se la había ganado y pronto se iban a convertir en papás. Ahora Lulú se la pasa sentadita incubando los cuatro huevos que le darán pavitos en cualquier momentos. A pesar de que el pobre Fred llevaba meses chillando desde el patio al otro lado de la calle, no fue hasta que Lulú estuvo lista que decidió cruzar. Porque fue ella la que cruzó, la que tomó la decisión, y la que escogió estar con Fred. Y lo hizo cuando ella quiso, no cuando los demás querían.

Me da la impresión que Lulú es una hembra emocionalmente madura y segura de si misma. Le tomó su tiempo analizar las cosas, pero cuando tomó la decisión, no perdió tiempo en actuar. El saber establecer un balance entre meditar o pensar las cosas y tomar acción sobre ellas es un arte. Hay personas que están toda la vida pensando sobre las decisiones que deben tomar y otras que no lo piensan dos veces y se lanzan de pecho a la menor provocación. Ambos estilos son peligrosos, el primero porque resulta cómodo y nos permite posponer y seguir posponiendo con la excusa de que queremos "tomar la decisión correcta." La otra tendencia, la del impulso, también puede ser peligrosa porque aumenta las posibilidades de que actuemos sin calcular los riesgos. Por eso digo que establecer un balance entre ambas tendencias se convierte en un arte y en una característica bien importante de las personas que considero emocionalmente maduras.

Otra señal de madurez que podemos copiar de Lulú es que aparentemente ella entiende que podemos cambiar de opinión. De primera intención Fred no le interesaba, pero, finalmente, se dio la oportunidad. Y no quiero de ninguna forma restarle méritos a Fred, quien fue sumamente insistente en anunciarle su presencia chillando desde el otro lado de la calle todas las madrugadas durante meses. Nada, que la pavita cayó en sus redes, o mejor dicho, en sus plumas. ¿Cuál será el futuro de Lulú y Fred? No lo sé. Leyendo acerca de los pavos reales me encontré con un dato que dice que éstos tienen una tendencia a la poligamia. Claro, como están solos en el vecindario hay una alta probabilidad de que continúen juntos hasta que la muerte los separe. Pero no puedo dejar de preguntarme que pasaría si otro pavo o pava aparecieran por allí.

Semillas que vuelan

Los que me conocen saben que soy un desastre en la jardinería. Si hay verdor y flores dentro y fuera de mi casa es porque nacen de esas plantas que se crían solas. En estos días, una de esas plantas me dio una gran lección.

En el patio frente a mi casa crecen unas florecitas rosadas monísimas. No sé si estaban allí desde que compramos la casa hace tres años, si las sembró en algún momento el jardinero, o si fue mi hermana Eva el año pasado cuando sacrificó un día de sus vacaciones para darme la mano con las matas. De lo que sí estoy segura es de que no las sembré yo.

La cosa es que hace unas semanas me doy cuenta de que tengo exactamente la misma planta y las mismas flores en la jardinera que enmarca la ventana frente a mi casa. Esas flores no fueron sembradas allí. De alguna forma, una semillita de esta planta que está a unos seis pies de distancia, llegó hasta la jardinera, y germinó. Cuando la vi, pensé en las veces que yo había intentado sembrar flores entre los helechos de esa misma jardinera y nada se me dio.

Pero sin yo esperarlo, sin esfuerzo, y casi por arte de magia, de repente un día había flores rosadas en mi jardinera. No sé si las semillas viajaron transportadas por un animalito, o si me las trajo el viento, pero llegaron, se agarraron a la tierra y germinaron, sin esfuerzo alguno. Cuando veo estas flores recuerdo las veces que he dejado el pellejo tratando de construir o lograr algo que parece no querer ser. Y cómo, ya cansada de intentar, lo suelto, y es entonces que se manifiesta cuando menos lo esperaba.

No me malentiendan, creo firmemente en que las metas se alcanzan a base de esfuerzo y trabajo duro. Pero cuando observo la naturaleza también sé que me está enseñando que tenemos que escoger nuestras batallas y que hay momentos en que hay que aprender a soltar y dejar ir. Y cuando tomamos esa decisión, cuando soltamos toda resistencia, es que el Universo puede comenzar a manifestarse en libertad y lo que tiene que ocurrir, ocurre.

Las flores rosadas que llegaron mágicamente a mi jardinera me recuerdan todos los días que debo aprender a reconocer cuando empujar y cuando descansar; cuando insistir y cuando dejar ir; cuando luchar por algo, y cuando permitir que las cosas fluyan. Me parece que la clave está en el balance. Voy a dejarle al viento y a los animalitos que sigan sembrándome de flores el patio. Pero a la misma vez, y por si acaso, me voy a comprar el libro de jardinería de mi amigo Douglas Candelario.

Lecciones de una perla

Las perlas han tenido siempre presencia en mi vida. Mi abuelo, Don Jaime, fundó hace ochenta años en el Viejo San Juan la joyería "Catalá," con el lema de "La casa de las perlas." Recuerdo que desde muy pequeña veía a mami pasar horas largas anudando collares de perlas, una labor que requiere mucha paciencia, y la cual yo, al igual que mis hermanas, primas, y ahora sobrinas y sobrinos, aprendimos a realizar en algún momento.

En muchas culturas la perla es sinónimo de opulencia y realeza. Sin embargo, en nuestra cultura judeocristiana, este sublime regalo que nace de las ostras, ha sido durante siglos símbolo de pureza, armonía y humildad. Y no es hasta que observamos cuidadosamente el proceso a través del cual se forma una perla que podemos verdaderamente apreciar cuán presentes están estas cualidades arraigadas en ese tesoro de nácar.

La perla nace de la incomodidad de la ostra. Sí, así como lo oyen, la perla es hija del estrés de la ostra. En el momento en que algo irrita la suave textura interna de este molusco, comienza un proceso natural a través del cual la ostra va cubriendo aquello que "le molesta" con los mismos materiales de los cuales está hecha su concha. Poco a poco, y capa a capa, el objeto queda aislado de la sensitiva piel de la ostra, la molestia deja de sentirse, y el resultado es un perla suave y lustrosa. Aunque todo molusco tiene la capacidad de formar perlas dentro de sí, es bien raro que esto ocurra de forma natural (de ahí que las perlas naturales sean tan escasas y costosas). Sin embargo, la tecnología ha permitido que florezca la industria de las llamadas "perlas cultivadas," aquellas que nacen de la ostra, pero como resultado de una "molestia" provocada por el hombre para disparar el proceso.

Todos, de alguna forma, nos podemos identificar con las perlas. Hay molestias que nos nacen de adentro sin que podamos nosotros mismos explicarlas. Pero la mayoría proviene de afuera, de personas o sucesos que han entrado en nuestras vidas para irritarla de alguna forma. Que hermoso sería si, en vez de alimentar la irritación con más irritación, pudiéramos transformar esa molestia o ese dolor en una piedra preciosa.

De la misma forma que la ostra cubre su dolor con capas y capas de nácar, nosotros podemos bañar nuestras heridas en compasión, perdón, paciencia y fe. De la misma forma que la ostra transforma su "irritación," en una pieza hermosa y de gran valor, nosotros podemos también transformar una experiencia negativa en el renacer de algo bello en nosotros. De la misma forma que la ostra ve en ese "objeto extraño," el primer paso hacia la creación de una obra de arte, nosotros podemos ver a aquel que nos hiere como el maestro o maestra que nos va a permitir demostrar cuán grandes podemos ser.

La próxima vez que veas perlas en alguna pieza de joyería, piensa en que ese pequeño universo de nácar encierra una de las más grandes lecciones de vida que se pueden aprender: que todo lo aparentemente doloroso tiene el potencial de convertirse en nuestro más grande tesoro. El dolor es inevitable, pero el sufrimiento siempre es opcional. Si no lo crees, observa una perla.

Lecciones de unas orquídeas

Recuerdo aquel día en que la visita de mi jardinero terminó en desastre cuando él, o uno de sus ayudantes, se llevó por el medio mi mata de orquídeas favorita. La mata estaba hermosa, luciendo tres orquídeas color violeta. No lo puedo responsabilizar completamente ya que me consta que el tallo de la planta era sumamente fino y frágil y yo debía haberlo reforzado. Pero no lo hice. Así que en medio de la faena jardinera alguien, espero que sin querer, partió la orquídea, y hasta ahí llegó.

Cuando llegué esa tarde ya el jardinero se había ido y mi primera reacción fue celebrar que el patio se viese tan limpio. Y de inmediato procedí a buscar con la vista mis orquídeas violetas. Me tomó varios segundos bajarme del carro, mirar, buscar en la grama, y volver a mirar. Y cuando finalmente me di cuenta de que la orquídea había desaparecido, empecé a llorar como una nena chiquita. Mi sobrina, quien se estaba quedando conmigo en esos días, pensó que se había muerto alguien porque me encontró atragantada en llanto.

Esa semana no había sido una muy buena que digamos. El llegar a casa y no encontrarme con algo que, por más simple que parezca, siempre me saca una sonrisa, se convirtió en la gota que colmó la copa. A pesar de que mi cuñada, quien sí conoce de plantas, me aseguró que algún día volvería a florecer, en aquel momento y desde mi visión nublada, yo sentía que había perdido algo para siempre.

Con gran satisfacción les informo que en estos momentos, mientras escribo estas palabras, tengo frente a mi ventana aquella mata de orquídea preñada con seis flores color violeta y tres más a punto de abrir. En los cuatro años que llevo viviendo en esta casa, la mata jamás nos había regalado tantas flores a la vez. Es que a veces hay que perder para ganar, hay que soltar para recoger, y hay que dejar ir para recibir. Si en estos momentos sientes que has perdido algo, piensa en mi orquídea violeta y agárrate de esa imagen. Hay veces que lo mejor que podemos hacer es darnos tiempo y espacio para dejar que las cosas se manifiesten cuando se tienen que manifestar.

CAPÍTULO VIII

Vemos lo que

queremos

"La pregunta no es qué estás mirando,
sino qué ves."

Henry David Thoreau

Escogiendo ver bendiciones...

En una ocasión durante una actividad educativa sobre salud, bienestar y medicina alternativa, tuve la oportunidad de "leerle" los chakras o centros de energía a decenas de personas. Lo que se busca con estas lecturas es determinar su nivel de balance energético. Dos jóvenes que llegaron por separado el mismo día me dejaron una fuerte impresión. Ambas mostraban desbalance en el área del segundo chakra, el que rige el área de la sexualidad y los órganos reproductivos.

La primera me confesó que ahí podía haber algo porque "tal vez" estaba embarazada. Se sentía triste y ansiosa porque no creía estar preparada para esto. Llevaba más de una semana de tortura porque tenía miedo de hacerse la prueba ya que si salía positiva sabría que tendría que tomar una decisión. "Soy egoísta," me dijo. "No creo que pueda ser buena madre." Sentí mucha compasión hacia ella cuando la escuché llamarse egoísta, porque lo dijo como si fuese algo que ella no pudiese remediar. No sé qué fue de ella, pero pienso que si estaba, en efecto, embarazada, tal vez ese bebé que cargaba iba a ser el maestro o maestra que le iba a enseñar a ser menos "egoísta".

Esa tarde llegó la segunda joven. Tan pronto le mencioné lo del desbalance de energía en el área reproductiva me dijo que tenía problemas de infertilidad. Se emocionó y se le hizo un taco en la garganta cuando me confesó que daría cualquier cosa por tener un hijo. "Ahora estoy divorciada así que sé que adoptar se me va a hacer muy difícil," me dijo. Le sugerí que comenzara haciendo trabajo voluntario con niños para así canalizar ese hermoso instinto de maternidad regalando amor a aquellos que lo necesitan.

El mismo día, dos mujeres. Una sufriendo porque puede y no quiere. La otra porque quiere con toda su alma y no puede. Las bendiciones de unos pueden ser las maldiciones de otros. Pero detrás de cada aparente acto "injusto" del Universo siempre hay una lección para aquellos que las saben reconocer.

Escuchando la voz...

*Y*a llegué a los cincuenta. Lo dije, que bueno, me lo saqué del sistema. He comentado en varias ocasiones con mis amigas lo sabia que es la naturaleza. A la misma vez que alrededor de los ojos van aumentando las manchitas y líneas de expresión, va también disminuyendo nuestra capacidad visual para verlas a simple vista. En otras palabras, que a menos que no tenga los espejuelos puestos o un espejo de aumento frente a mí, todavía me siento de treinta. Y sigo sin saber qué voy a ser cuando sea grande.

Pero lo cierto es que no se cumplen cincuenta todos los días y la vida es corta. Por eso decidí que para celebrar esa fecha quería a hacer ser algo diferente. Así que aquí estoy con Tom en Paris viviendo unos días maravillosos. Hemos bailado navegando sobre el Río Sena, disfrutado de una vista espectacular de la ciudad desde el tope del Arco del Triunfo, y recorrido sus calles sobre las ruedas de un Segway. (Si no saben lo que es entren a www.segway.com y vean que maravilla). Pero fue durante el recorrido del Museo del Louvre, al encontrarme frente a una hermosa estatua de Juana de Arco, que en realidad caí en cuenta del significado de esas cincuenta velitas.

La estatua es obra de un escultor francés y su título es "Juana de Arco escuchando sus voces." Para hacerles un poco de memoria, esa que hoy conocemos como Juana de Arco era una devota joven católica quien a sus catorce años comenzó a escuchar voces que ella atribuyó a ciertos santos. Estas voces en ocasiones le profetizaban sucesos, pero mayormente le insistían en que tenía que salvar al rey y a su pueblo ante la invasión de los ingleses. Irónicamente, a pesar de que fuera quemada en la hoguera por la misma iglesia que la inspiró, Juana de Arco fue declarada posteriormente "santa" y es hoy la santa patrona de Francia. Tan pronto vi la estatua de aquella joven intentando escuchar sus voces para tomar las decisiones que tenía que tomar en su vida, me identifiqué con ella.

Mis voces no han sido las de santos ni tampoco me han dictado profecías. Pero si algo tengo que celebrar y agradecer en este momento en mi vida es el haberme dado la oportunidad de escuchar esa voz interna que en ocasiones me ha llevado a tomar decisiones sumamente difíciles en mi vida. Aprender a reconocer esa voz es resultado de un proceso de auto conocimiento que nunca termina. He metido la pata sobre la marcha en muchas ocasiones y seguramente todavía me faltan unas cuantas más. Sé que algunas de mis decisiones han herido a personas que he amado mucho, pero siento que han sido necesarias para poder darle sentido a esto que llamamos vida.

Pero sobre todas las cosas, escuchar esa voz me ha permitido encontrar un propósito en la vida, una razón de ser. Y cuando se tiene un propósito uno aprende a ver las cosas a largo plazo y a no ahogarse en el momento. Uno aprende a enfocarse en lo que ha podido lograr y no en lo que ha perdido en el proceso, y recuerda las lágrimas como esas gotas de "saladito" que han servido para intensificar el sabor de lo dulce.

Me siento tan bendecida que no puedo menos que compartir con ustedes este sentimiento deseándoles que, no importa el número que estén celebrando este año, lo celebren descubriendo y escuchando sus voces. Es el mejor regalo de cumpleaños que les puedo dar.

Lo bueno de ser boricua...

uiero confesar que tengo una tendencia casi compulsiva de encontrarle el aspecto positivo a todo, pero no porque no tenga los pies en la tierra. Yo estoy bien clara en cuanto a lo que está pasando en mi país y en el mundo. Yo me leo los periódicos todos los días porque a diferencia de aquellas personas que piensan que "mejor ni me entero," yo, como motivadora y coach de vida, tengo por obligación que enterarme si quiero ofrecer herramientas para construir actitudes más saludables.

Pero eso no quiere decir, que yo no pueda escoger ver las cosas "a través de mis ojos." Y como una de las cosas que uno más escucha en la calle es la constante crítica que hacemos los puertorriqueños de nosotros mismos, hoy he decidido darles otra visión de algunas características que no tienen porqué ser sinónimo de negatividad. Quien sabe, tal vez mejorando nuestra autoestima como pueblo podemos comenzar a transformar las cosas.

"Los puertorriqueños somos unos averiguaos" - Es lo primero que uno piensa cuando se encuentra con los tremendos tapones que se forman cada vez que hay un accidente o un vehículo averiado en una carretera. Pero no es que seamos averiguaos, es que bajamos la velocidad para ver si conocemos a algunos de los involucrados en el asunto. Estamos pendientes porque nos importa. En otros países eso no ocurre porque nadie está pendiente de lo que le pasa a otro. Así que en vez de catalogarnos como "averiguaos," porqué mejor no nos vemos como un pueblo consciente de las necesidades de los demás.

"Aquí la gente es bien chismosa" - No necesariamente. ¿Por qué no pensamos mejor que somos gente sumamente comunicativa? Si tú juntas un grupo de personas comunicativas, es inevitable que se cuele el chisme. Pero yo prefiero mil veces vivir entre gente expresiva y comunicativa que entre estacas sin capacidad alguna para la interacción emocional. Nos encanta el jolgorio, y sabemos que un grupo de boricuas, en cualquier esquina, forma un fiestón. Así que abracemos nuestra capacidad para la comunicación aceptando que nuestra tendencia a "hablar de más" es parte del paquete.

"Los puertorriqueños somos unos vagos"- No es cierto. Los puertorriqueños sabemos vivir. Lo mismo dicen de los franceses porque tienen una semana de trabajo de treinta y cuatro horas y, por ley, seis semanas de vacaciones al año. ¿No es una maravilla? Yo conozco mucha gente bien trabajadora en este país, pero ¿porqué hacer del trabajo todo en la vida? Nuestra tendencia posiblemente va a ser siempre a hacer las cosas por la ley del menor esfuerzo, y eso no siempre tiene porqué ser algo negativo (excepto cuando haces tu trabajo con las patas con tal de salir del paso y todos los demás nos afectamos.) Pero somos gente que sabe divertirse, que hace de tripas corazones y que si podemos salirnos con la nuestra, lo vamos a hacer. No somos vagos. Somos listos, creativos, y nos sabemos desconectar. Pero cuando hay que meter mano, lo hacemos.

El verle el aspecto positivo a las cosas puede que no cambie lo que está allá afuera, pero sí aporta a nuestra sanidad mental. Nos ayuda a ver a otros, y a nosotros mismos, con mucho más sentido del humor y, sobre todo, mucha más compasión. Y esas cualidades siempre van a hacer nuestras vidas más llevaderas.

Estoy aqui... aqui solita

En una ocasión, conversando con una persona cercana a mí, la escuché decir que se sentía triste porque estaba "sola". Mi primera reacción, conociendo su historia, fue recordarle que ella no "está sola" sino que en realidad se siente sola porque no tiene una pareja en estos momentos. Esta mujer es una profesional con un trabajo de muchos retos, tiene unos hijos preciosos y saludables, tiene una familia que la quiere y la apoya y un grupo sólido de amistades sinceras con quienes ha logrado desarrollar una vida social bastante activa. No, ella no está sola.

Y traigo el caso de mi amiga porque sé que hay cientos de personas allá afuera que posiblemente se estén sintiéndose como ella, solas, porque no tienen una pareja, pero no porque en realidad lo estén. Yo entiendo perfectamente que si disfrutas de la vida en pareja, y en estos momentos no tienes a alguien a tu lado, vas a añorar esa compañía. Pero tenemos que aprender a no enredarnos en nuestros propios dramas existenciales, y entender que esa sensación de tristeza y soledad momentánea es normal. Lo que no debemos hacer es echarle más leña al fuego.

No, no es lo mismo "estar" solos que "sentirnos" solos. El "sentirnos" solos de vez en cuando es inevitable. Hay personas que aún teniendo pareja, en ocasiones, se sienten solos. Y esa sensación de soledad, de vez en cuando, no ha matado a nadie. La reconoces, te das tu lloradita, y sigues adelante. Estar solos, sin embargo, es otra cosa. El llegar a sentirnos que tenemos una vida rica requiere trabajo de nuestra parte. Tomemos las amistades y la familia, por ejemplo.

Hay personas que tan pronto empiezan a conocer a una potencial pareja se olvidan del mundo. Claro, es natural que cuando una relación está empezando uno tiende a volcar todo su tiempo y atención hacia esa otra persona. Pero si no continuamos cultivando esos lazos de amor, y de apoyo que tenemos más allá de una pareja, en el caso de que la relación no funcione, nos quedamos solos.

Muchas veces he escuchado a personas decir que "cuando uno está en las buenas, sobran los amigos y la familia, pero cuando uno está en las malas no aparece nadie." Pero yo conozco muchos que cuando están "en las buenas" desaparecen del planeta, alejándose de sus seres más cercanos, para solo reaparecer cuando hay un drama en sus vidas y necesitan que algún tipo de apoyo. Pero, claro, es más fácil quejarnos de los demás, que trabajar para crear relaciones plenas y sólidas.

Otra clave para no sentir que "estamos solos" es tener un propósito en nuestras vidas. Cuando hay propósito, cuando hay pasión en lo que hacemos o queremos hacer, esa temporada en la cual no tenemos una pareja puede ser hasta refrescante ya que nos da el tiempo de cultivar cosas que nos hacen crecer. Busca hacer cosas que te llenen, como lo puede ser tomar un curso de algo que hace tiempo quieres aprender, continuar tus estudios, o hacer trabajo voluntario, algo en lo cual puedes hasta involucrar a tus hijos. Y recuerda que tu propósito en estas actividades debe ser descubrir algo nuevo sobre ti, no encontrar una pareja. Te sorprenderías lo que ocurre cuando enfocamos nuestra mente en crecer, en divertirnos y en disfrutar de lo que ya tenemos. La calidad de nuestra energía cambia, y comenzamos a atraer a nuestra vida aquello que nos hace falta, pero no por necesidad, sino por ley natural de atracción.

Un día normal

Aquel viernes comenzó como todos los días. Desperté, me conecté mentalmente con mi propósito para el día, me bañé, me vestí, desayuné, y salí a la calle. Mi primera parada fue el banco. Mientras llenaba una hoja de depósito, un hombre sesentón y de aspecto humilde, se acercó al empleado bancario que estaba en el área de recepción y le pidió de favor que lo ayudara a llenar una hoja de retiro. No sé si necesitaba ayuda porque tenía algún problema de visión, o porque no sabía leer o escribir, pero sentí una profunda admiración por la humildad con la cual pidió esa ayuda. Justo cuando el empleado le contestó que en seguida lo atendería, una joven que estaba a su lado le dijo, "No se preocupe, yo lo ayudo." Y con toda la paciencia y cariño del mundo le fue preguntando su número de cuenta, la cantidad del retiro, etc.

No les puedo negar que la escena me conmovió. Sé lo que deben estar pensando, que soy una llorona. Sí, lo confieso. Los actos de amor desinteresado entre desconocidos siempre me hacen llorar porque me recuerdan aquello que todavía amo de la humanidad. Salí de allí saboreándome aquel momento de compasión espontánea y me dirigí a hacer la fila del cajero electrónico. Allí me detuve a chacharear con una amiga en lo que llegaba mi turno. En eso, sale un señor mayor del banco y se detiene frente a nosotras. "Ustedes ven porque vale la pena levantarse todos los días," nos dice, mientras me saluda

129

dándome la mano. "Porque uno se encuentra con mujeres tan hermosas e interesantes." Mi amiga y yo nos echamos a reír y yo le contesté con un "Usted ve que muchas cosas buenas hay en este país...y tanto que nos quejamos." "Tienes toda la razón," contestó él, mientras continuó su camino sonriendo.   Compasión y alegría en menos de cinco minutos. La cosa no podía ponerse mejor.

De ahí pasé a la farmacia a recoger una receta que había dejado procesando. El medicamento no lo cubría el seguro, y cuando lo fui a pagar la muchacha me miró y me dijo, "Espérate, déjame hacerte un descuentito," y ajustó la factura. Ella no tenía por qué hacerlo, pero tuvo ese detalle. A la compasión y alegría se añadía la amabilidad, tres cualidades maravillosas el mismo día, y todavía no eran ni las diez de la mañana.

Esa mañana me dirigía a participar durante todo el día en las actividades del Festival de Armonía y Paz que se estaba celebrando en el hermoso jardín botánico de la ciudad de Caguas.

Tan pronto llegué me dirigí al área donde estaría traduciendo la meditación que tenía a su cargo uno de los monjes budistas que nos visitaban para la actividad.   Cuando terminó la meditación se me acercó una muchacha. Me saludó y me preguntó "¿A que tú no sabes quién soy?" Yo le confesé que en realidad no la recordaba. Ella metió la mano en su bolso, sacó un Buda tallado en madera y me lo entregó. "Mira lo que dice debajo," me dijo.   Al voltear la figura noté una inscripción en la base que leía "Mosul, Iraq."   Estaba igual de perdida.

Ella se sonrió y me dijo: "Hace dos años te escribí un email desde Iraq diciéndote que leía tus columnas por Internet allá, y lo mucho que significaban para mí. Tú me enviaste por correo tus libros. Un día me encontré este Buda tallado por un artesano de allá y pensé que algún momento tendría la oportunidad de entregártelo personalmente."

Yo recordaba aquella carta claramente. Recibirla fue algo que significó mucho para mí. Le di un abrazo, le regalé mi más reciente libro, y le di las gracias por ese gesto tan hermoso y por haber regresado sana y salva. A través de esa pequeña estatua esta joven será ahora siempre parte de mi vida.

Ella y yo hicimos conexión sencillamente porque ella tuvo el detalle de escribirme y yo de contestarle. De la misma forma que aquella mañana en el banco, una muchacha conectó con un desconocido a través de su compasión, un señor me regaló alegría y una farmacéutica amabilidad. Son esos detalles, esas pequeñas cosas, las que hacen que un día sea diferente al otro, que un momento "normal" se pueda tornar en extraordinario.

No fue hasta esa noche cuando llegué a mi casa y volví a leer la inscripción en la estatua, que me fijé que además de la dirección también había una fecha: "miércoles 2 de junio del 2006." Yo no recuerdo lo que estaría haciendo ese día, la fecha no tiene en realidad un significado especial para mí, así que posiblemente era un día como cualquier otro. O quizás no. Porque en algún lugar de Mosul, Iraq, alguien estaba pensando en mí.

Sobre la autora:

Locutora, mantenedora de programas de radio y televisión, columnista, y "coach de vida" certificada, Lily García es hoy por hoy una de las más reconocidas y polifacéticas comunicadoras puertorriqueñas. Escribe semanalmente la columna "Mis herramientas" para el diario Primera Hora de Puerto Rico (www.primerahora.com), y mensualmente "A través de mis ojos" para la revista Caras.

Con más de dos décadas de experiencia en los medios de comunicación, Lily ha combinado técnicas de coaching, manejo de energía, y sicología práctica en un estilo de motivación lleno de profundidad y humor, el cual la ha convertido en una de las más solicitadas conferenciantes motivacionales de Puerto Rico.

Otras publicaciones de la autora:

CD "Herramientas en mi voz"   (2008)

"Mueve las ruedas de tu vida: descubre
el poder de tus chakras"   (2007)

CD "Respira y Sana"   (2006)

"Más herramientas para tu vida"   (2004)

"Mi caja de herramientas 2"   (2002)

"Mi caja de herramientas"   (2001)

Información de contacto:

www.lilygarcia.net
lily@lilygarcia.net
(787)234-6906